SLOTERVAART

Pieter Callandlaan 87 b   1065 KK   Amsterdam
Tel. 615 05 14
slvovv@oba.nl

afgeschreven

Vingervlug

In de serie Brugboeken vind je goede verhalen die je laten nadenken over jezelf en anderen. Achterin het boek diverse extra's, zoals informatie over de schrijver en tips om een boekbespreking te maken.

© 2006 Educatieve uitgeverij Maretak, Postbus 80, 9400 AB Assen

Tekst: Piet van der Waal
Illustraties: Maurice Heerdink
Omslagontwerp: Peter Slager
Layout/dtp: Gerard de Groot

ISBN-10: 90-437-0310-9
ISBN-13: 978-90-437-0310-9
NUR 140
AVI 8

Piet van der Waal

Vingervlug

 SLOTERVAART

Pieter Callandlaan 87 b   1065 KK Amsterdam
Tel. 615 05 14
slvovv@oba.nl

e d u c a t i e v e

u i t g e v e r i j

M a r e t a k

Hoofdstuk 1

De toeschouwer

De mosgroene BMW glijdt geluidloos de ondergrondse parkeergarage binnen. De koplampen, in de vorm van kattenogen, verspreiden een spookachtig blauw licht. Als je daar lang in kijkt, kan je blind worden, zeggen ze. Of je kan er een barstende koppijn van krijgen.

De bestuurder van de auto draait moeiteloos aan het met leer beklede stuur. De brede banden maken een zacht zoemend geluid.

Van achter een dikke pilaar staat iemand geïnteresseerd toe te kijken. De smalle ogen van de toeschouwer vernauwen zich als hij het automerk herkent. Even glijdt er een flauwe glimlach over zijn gezicht, maar dan kijkt hij weer ernstig.

De auto zoekt een brede parkeerstrook, zodat hij straks, bij het wegrijden, geen krassen op zal lopen. Hij slaat diverse lege, te smalle parkeerplekken over. De bestuurder heeft er geen idee van dat er naar hem gekeken wordt. Ook de passagier naast de bestuurder is zich nergens van bewust. Uiteindelijk is de keuze gemaakt: een parkeerplaats op een paar meter van de liften.

Bruine ogen blijven de auto met grote belangstelling observeren. Eerst kijken ze naar het ronde BMW-embleem, om daarna af te zakken naar de gele nummerplaten. Dan flitsen ze omhoog naar het glas van het achterraam. Er zijn duidelijk twee hoofden te zien.

Het ene is dat van een man. Zijn haar is kortgeknipt en zijn nek heeft een onnatuurlijk bruin kleurtje, waarschijnlijk door een dure zonnebank. Er is een stukje van een donkerblauwe jas te zien en er steekt iets wits bovenuit.

Dat moet hij onthouden.

Het andere hoofd is zeker van een vrouw: halflang haar, roodbruin van kleur. Het haar valt golvend over de bontkraag van haar jas.

De bespieder is nu nog wat dichterbij geslopen. Hij zorgt ervoor onzichtbaar te blijven in de schaduwen van de grauwe steunpilaren.

De man en de vrouw stappen nietsvermoedend uit.

Hij schat dat de man ongeveer veertig jaar moet zijn. De juiste leeftijd.

Zorgvuldig doet de man zijn portier op slot en veegt met zijn mouw een stofje van het glimmende metaal. Een kort moment flitsen de knipperlichten van de BMW nog even op. Het teken dat het diefstalalarm is ingeschakeld, maar dat kan de toeschouwer niets schelen. Het gaat hem niet om de auto, het gaat om hen. Of eigenlijk alleen om hem, om de man. Hij fronst even zijn dunne wenkbrauwen en schat zijn kansen in.

Dan lopen de man en vrouw, innig gearmd, in de richting van de lift.

Het ruikt naar uitlaatgassen en dieselolie in de ondergrondse parkeergarage. Er staan nog twee mensen voor de gesloten liftdeuren te wachten. Ze hebben al op het groene knopje met de pijl omhoog gedrukt.

De toeschouwer glimlacht weer. Een bijna boosaardige glimlach lijkt het. Hij slaakt een diepe zucht. Het is altijd

weer spannend, want je weet toch maar nooit hoe het af zal lopen. Bang is hij niet. Hij vertrouwt op zijn snelheid, zijn behendigheid.

Met een nauwelijks hoorbaar gesis schuiven de liftdeuren open. De vier mensen stappen gehaast naar binnen. De man uit de BMW laat zijn vrouw beleefd voorgaan.

Ja, ja, het zou wat, denkt de schim. Nu moet hij snel zijn. Zodra de liftdeuren zich sluiten, komt hij uit de schaduw tevoorschijn. Hij rent de lift voorbij en gooit een glazen toegangsdeur naar het trapportaal met een vaart open. Met twee treden tegelijk loopt hij de trap op.

Hij moet wel snel zijn, anders is hij zijn prooi kwijt. En dat mag onder geen beding gebeuren!

Hijgend door de korte sprint komt hij boven. Meteen wordt hij overspoeld door een lawine van licht en geluid. Honderden mensen lopen luid pratend of lachend voorbij. Sommigen dragen een zware boodschappentas of sierlijk ingepakte pakketten, anderen eten patat uit kartonnetjes. Het is, zoals altijd, benauwend druk in het winkelcentrum. Het lijkt er op een mierenhoop. Maar het komt hem goed uit dat het druk is.

Omdat hij zo geconcentreerd is op de lift, let hij even niet goed op een grote man met een jengelende dreumes aan zijn hand.

'Kijk uit je doppen, maat! Je loopt mijn kind haast tegen de vlakte!'

'Sorry', zegt hij meteen. Altijd beleefd blijven, heeft hij zichzelf geleerd, en niet opvallen. Gezicht naar beneden, ze moeten je gezicht niet zien. Geen herinneringen, geen sporen achterlaten.

Hij is op tijd. De rode deuren van de lift glijden open en

de man en de vrouw komen lachend naar buiten.

Wacht maar. Ze hebben nog steeds niet in de gaten dat ze worden geobserveerd en dat moet zo blijven. Het lachen zou ze vergaan, als ze erachter kwamen dat … Nu moet hij nog wachten op het juiste moment.

De man in de blauwe jas heeft een arm om de schouder van de vrouw heen geslagen. Ze kijken elkaar af en toe verliefd aan. De vrouw is een stuk jonger dan de man.

Precies goed, denkt hij, dit is hem.

Slenterend en schijnbaar geïnteresseerd in alles wat er te koop wordt aangeboden in de etalages, loopt hij nu achter het stel aan. Ook zij blijven bij elke etalage staan.

Voor die glazen wanden moet je wel oppassen: zorgen dat jouw spiegelbeeld niet gezien wordt.

Dan stappen ze een groot warenhuis binnen. Daar is het zo mogelijk nog drukker. De uitverkoop is zeker begonnen. Van alle kanten schettert muziek en mensenstemmen houden een wedstrijd in wie zich verstaanbaar kan maken.

Dit is de juiste plaats. Hij schuift wat dichterbij en let in het bijzonder op de linkerkant van de man. Daar heeft hij de zwakke plek ontdekt. Het zal een makkie worden. Voor de zekerheid kijkt hij nog een keer om zich heen. Er is niemand die op hem let en er is ook niemand te zien van de bewakingsdienst. Alleen een grijze unit van drie bewakingscamera's die aan het plafond hangt. Telkens zie je een lichtje aangaan. Dan is die camera actief op een bepaalde hoek gericht. Nu wachten op het juiste moment.

Steeds dichter schuifelt hij in de richting van de blauwe jas. Zijn hart begint steeds harder te kloppen. Hij staat nu vlak achter de man. Hij kan zijn dure aftershave ruiken. Veel te sterk. Hij moet er een kapitaal aan uitgegeven hebben.

De man en de vrouw staan met hun hoofden gebogen over een vitrine vol armbanden en horloges. Op dat moment ziet hij dat het rode lampje, van de camera die in de richting van de vitrine gedraaid staat, dooft.

Nu kan hij niet meer gezien worden. Toe dan!

Met de precisie van een chirurg flitsen zijn lenige vingers vooruit. Zijn hand glijdt als een slang in de jaszak van de man, om bijna op hetzelfde moment weer tevoorschijn te komen. Een glanzende leren portemonnee, dik gevuld. Er moet een fortuin in zitten.

Hebbes.

Op zijn stille, versleten sportschoenen draait de zakkenroller een halve slag en verdwijnt in de menigte.

En nu de beloning: het moment van het stille genieten. Dit kan hij nooit nalaten, ook al weet hij dat het gevaarlijk is. Hij moet dit gewoon doen.

Op veilige afstand, zo'n meter of vijftien bij de man en vrouw vandaan, blijft hij staan kijken om te wachten op de reactie. Hij ziet dat de verkoopster een pakje, met een gouden strik versierd, op de toonbank zet. Vast een cadeautje voor de vrouw. Dan grijpt de man in zijn linker jaszak.

De toeschouwer grinnikt in zichzelf. Hij ziet het verschrikte gezicht van de man. Verbaasd. En dan klinkt zijn harde stem vol boosheid en paniek: 'Krijg nou wat, ik ben bestolen! Nee, oh nee, ze hebben mijn portemonnee gestolen!'

Zo is het voldoende.

Rustig loopt de dader naar de uitgang van de winkel, slalommend langs het koopzieke publiek. Hij huppelt bijna het winkelcentrum uit. Op naar zijn schuilplaats, het kleine schuurtje achter het huis van zijn moeder.

Michael heeft weer zijn best gedaan. Goed werk, zonder een enkel spoortje achter te laten.

Toch is zijn daad niet onopgemerkt gebleven. Fletsblauwe, keiharde ogen hebben alles gezien.

Hoofdstuk 2

Toch gezien

Michael heeft zijn fiets net buiten de parkeergarage tussen de bosjes verstopt. Nou ja, bosjes ... Het zijn een paar verwilderde rozenstruiken, waar de plantsoenendienst al jaren niet meer naar heeft omgekeken. Van zijn vrienden heeft Michael gehoord dat je fiets bijna altijd gepikt wordt bij de hoofdingang van het winkelcentrum, zelfs al zet je hem op slot met dubbele sloten. Daarom zet hij zijn fiets altijd op deze verlaten plek. Geen hond haalt het in zijn hoofd om hier te komen.

Op hetzelfde moment dat Michael dit denkt, voelt hij iets zachts en glibberigs onder zijn voet. Hij tilt zijn rechtervoet op. Bah, er komt hier toch een hond.

Michael veegt zo goed en zo kwaad als het gaat zijn schoenen schoon aan het hoge gras. 'Nou ja, vooruit dan maar', mompelt hij in zichzelf. 'Die drol was vast extra bescherming voor mijn fiets.'

Van het Zuidplein naar zijn huis in Vreewijk is maar ongeveer tien minuten fietsen. Michael geniet daar meestal van als een missie succesvol is geweest. Zeker de laatste paar weken, want hij heeft zomervakantie en het is lekker weer.

Het verkeerslicht springt van oranje op rood. Vroeger zou Michael doorgereden zijn, maar nu niet. Hij is nog steeds aan het werk. Totdat hij veilig thuis is, in het kleine schuurtje achter zijn huis, moet hij zich keurig aan de regels houden. Stel je voor dat een of andere agent hem in zijn kraag grijpt en hem gaat ondervragen of zelfs fouilleren.

'Hé, jongeman, hoe kom jij aan zo'n dikke portemonnee?'

Wat moet hij dan antwoorden?

Als Michael rechts afslaat, de Dordtsestraatweg op, steekt hij zelfs zijn hand uit. Hij moet er zelf om lachen.

Brave Michael, jij hebt niet voor niets met vlag en wimpel je verkeersdiploma dit jaar gehaald. Nogmaals gefeliciteerd.

Hij moet zich bedwingen om niet hardop te juichen met allebei zijn handen in de lucht. Dus houdt hij zijn handen aan het stuur en steekt alleen zijn rechter en linker middelvinger omhoog. Heel even maar.

Maar, al doet Michael zijn uiterste best om niet op te vallen, het lukt hem niet. Vanuit een blauwe Toyota wordt hij juist heel nauwlettend in de gaten gehouden. Twee mannen zorgen ervoor niet te dicht achter Michael te gaan rijden. Een van de mannen houdt een dure, digitale fotocamera met een zoomlens in zijn hand, waarmee hij om de paar seconden een foto van Michael maakt. Telkens hoor je het ultrazachte zoemen van de zoomlens die zich scherp stelt. De twee mannen zeggen niets tegen elkaar. Het zijn mannen van daden, niet van woorden. Ze weten precies wat ze doen.

Michael is nu bijna thuis. Hij rijdt langs de supermarkt en de bakker. Het ruikt er zoals altijd verrukkelijk. Even vraagt hij zich af of hij een tompoes voor zichzelf en zijn moeder zal gaan kopen, maar hij doet het niet. Zijn moeder zal vragen waar hij het geld vandaan heeft. Hij kan moeilijk zeggen: 'Oh mam, dat heb ik gepikt van een vent in een dikke BMW.' En trouwens, daar is het geld niet voor bestemd!

'Hoi Maikie!' Een vrolijke schreeuw klinkt van de overkant van de straat. Een donkere jongen met sluik, zwart haar staat wild met zijn armen te zwaaien.

Michael kijkt naar links en ziet Younous staan. Hij heeft zijn goorwitte poedeltje bij zich. Dat beest gaat overal met hem mee naartoe. De krullenbol begint luid te keffen als hij Michael herkent.

'Hoi Younous. Wat heb jij een mooie jurk aan, zeg.' Michael kijkt snel over zijn linkerschouder. Op zo'n vijftig meter achter hem komt een auto aanrijden. Michael kan nog makkelijk oversteken.

Younous glimlacht. 'Moet ik aan van mijn moeder. Ik vind het ook een stom ding.'

'Echt waar?', antwoordt Michael, die best weet dat Younous het niet echt stom vindt. 'Maar is dat eigenlijk niet iets voor meisjes? Ik bedoel ...' Michael slikt net op tijd zijn woorden in. Stom van hem, hij weet toch ook wel dat Younous vanwege zijn geloof en zijn cultuur soms in deze kleren loopt. De zusjes van Younous zijn soms ook heel bijzonder gekleed. Anders dan de meeste kinderen uit de buurt, maar best wel mooi.

Younous gaat over een paar maanden waarschijnlijk voor een tijdje naar Engeland verhuizen. Zijn vader heeft al een jaar geen werk meer en kan daar voorlopig bij zijn broer in het restaurant komen werken.

Terwijl de jongens staan te praten, rijdt de Toyota voorbij. Ze hebben er totaal geen oog voor. Waarom zouden ze ook.

De auto stopt een stukje verderop. De chauffeur van de auto stelt zijn achteruitkijkspiegel zo, dat hij Michael in de gaten kan houden. Zijn blik is koud en gevoelloos.

'Waar ben je geweest?', vraagt Younous, terwijl de poedel tegen Michaels benen probeert op te klimmen.

'Oh, zomaar een stukje wezen fietsen.' Michael voelt voorzichtig aan zijn jaszak of de portemonnee er nog zit.

'Sorry van die jurk, Younous. Ik bedoelde er niks mee.'

'Hé, maakt niet uit man, ik vind hem zelf ook stom ... Nou ja, het moet gewoon.'

'Ik snap het.'

'Zo'n jurk heet trouwens een koerta', zegt Younous.

Michael aait de kleine poedel over zijn kop. Het beest likt in ruil daarvoor enthousiast zijn hand. 'Wanneer ga je nou naar Engeland?'

Het lachende gezicht van Younous betrekt. 'Over drie maanden.' Even zwijgt Younous, maar daarna zegt hij: 'Mijn broer zegt dat je daar in een uniform naar school moet. Je moet zelfs een stropdas om. Ze zijn daar hartstikke streng. Ik ben trouwens helemaal niet goed in Engels en daar moet je het de hele dag spreken.' Het gezicht van Younous staat op zwaar onweer. 'Mijn vader en moeder vinden het ook goed als ik bij mijn oma blijf wonen. Ik mag zelf kiezen.'

'Dan ga je toch niet. Zeg dan dat je niet wilt, dat je geen zin hebt.'

'Ach, ik weet niet. Ik wil eigenlijk wel, want ik denk dat ik mijn ouders en mijn broer en zusjes hartstikke ga missen. Mijn oom zegt dat veel jongens in de straat waar we gaan wonen een koerta dragen. Loop ik tenminste niet in mijn eentje voor gek in een jurk.' Younous lacht nu weer.

Een stralende witte tandpastalach. 'Nou ja, het maakt ook niet uit. Als ik niet ga, moet ik hier toch ook naar school, en mijn oma gebruikt net zo'n harde stok als mijn vader als ze straf geeft.'

Younous zegt het allemaal breed grijnzend. Het lijkt wel of hij een grapje maakt, maar Michael weet heel goed dat het geen grapje is. Younous lacht als een boer die kiespijn heeft. En dat begrijpt Michael nou niet. Woedend kan hij daar om worden. Dat ouders hun kinderen misschien af en toe een tik geven is tot daaraan toe, maar dat ze daarvoor een stok moeten gebruiken!

'Je moet je niet laten slaan, man. Niet door kinderen, maar ook niet door volwassenen. Niet op zo'n manier, dat hoort niet, ook niet bij jou in huis.'

Younous haalt zijn schouders op.

Michael kijkt hem boos aan. Hij is niet boos op Younous, natuurlijk niet. Younous is zijn beste vriend. Michael kan alleen niet tegen onrechtvaardigheid. Daar moet je tegen vechten, er wat aan doen en niet stomweg afwachten. Meteen moet hij aan zijn moeder denken en aan zijn vader, die hem en zijn moeder in de steek liet toen Michael nog maar vier jaar was. Hij denkt nog bijna elke dag aan dat moment. Helemaal duidelijk zijn de herinneringen niet meer. Hij weet niet eens meer precies hoe zijn vader eruitzag, maar sommige dingen van hem weet hij nog wel heel goed. Eigenlijk moet hij eens om een foto vragen.

'Zullen we samen iets gaan doen?', vraagt Younous, om op een ander onderwerp over te gaan.

De poedel probeert ondertussen of zijn lijn wel sterk genoeg is. Hij trekt zo wild, dat Younous schuin voorover wordt getrokken. Het beestje heeft een aardig hondje gezien aan de overkant van de straat en gaat helemaal uit zijn dak.

'Oké. Voetballen?'

'Ja, dat is goed', kreunt Younous, die nog steeds alle kracht nodig heeft om overeind te blijven.

'Ik ga eerst nog even naar huis, wat te eten en te snoepen halen.'

'Oké, Maikie. Over een halfuurtje op de Geitenwei?'

'Dat is goed. Neem jij die lekke bal van je dan mee? En kijk of je nog andere jongens tegenkomt die mee willen doen.'

'Of meisjes?'

'Juist meisjes!'

Michael stuift meteen de weg weer op. Hij is nu bijna

thuis. Nog twee zijstraten voorbij en dan rechtsaf. Via een smal paadje komt Michael bij de achterkant van zijn huis. Daar staat het schuurtje. Het is een geel geverfd houten bouwvalletje.

Michael zet zijn fiets tegen de restanten van een oude boom. Dan bukt hij zich bij een paar bloempotten die op hun kop naast de schuur staan. De sleutel ligt nog steeds op dezelfde plek als waar hij hem heeft verstopt: onder de derde pot van links. De dunne, bijna onzichtbare haar die Michael vanmorgen uit zijn hoofd heeft getrokken, ligt nog steeds dwars over de sleutel. Niemand is er dus met zijn vingers aan geweest. Mooi zo, je weet het maar nooit.

Michael schuift de sleutel in het slot. Een zachte klik laat horen dat de deur open is. Een tevreden glimlach verschijnt op zijn gezicht. Hij is weer thuis en hij heeft het gehaald. Niemand heeft hem gesnapt. Hij is weer een stap verder.

Op hetzelfde moment klinkt er een nog zachter geluid. Het komt vanuit de blauwe Toyota. Michael kan het geluid met geen mogelijkheid horen. Daarna laat de man de camera zakken en spreekt zijn eerste woorden van die ochtend: 'Oké, we weten genoeg voor vandaag, terug naar kantoor.' Er verschijnt een koude glimlach rond zijn mond, maar zijn koele ogen lachen niet mee. Die lachen nooit.

Hoofdstuk 3

Geheime bergplaats

De deur van de schuur gaat piepend open. Een muffe, weeïge geur komt Michael tegemoet. Hij draait het lichtknopje om en doet de deur weer zorgvuldig achter zich dicht. Voor het raam heeft Michael een tijdje geleden een grote plaat hardboard getimmerd. Zo kan niemand naar binnen kijken. Hij draait de deur aan de binnenkant op slot. Dit is zijn geheime plek, zijn geheime bergplaats.

In een hoek staat een stapel lege dozen en er ligt een berg oude kranten naast. Een verroeste damesfiets zonder wielen hangt scheef tegen een van de houten wanden. In de verste hoek liggen stukken opgerolde vloerbedekking en er staat een gebutst campingtafeltje met een dito stoeltje. Aan de wanden hangen nog wat planken op verfloze steunen. Er staan wat lege verfblikken op. Een paar oude jutezakken verspreiden een geur van schimmel en verrotting.

Michael schuift een oude, kapotte centrifuge opzij. Daaronder ligt een stuk geplastificeerde spaanplaat dat opgezet is door het vocht. De houten vloer buigt krakend mee als je erover loopt.

Michael gaat op zijn knieën zitten en met een beetje wrikken trekt hij een van de planken omhoog. Er ontstaat een smal, donker gat. Dan stopt hij zijn arm in de ruimte en haalt een rubberen zaklantaarn tevoorschijn. Hij drukt op het knopje. Een felle lichtbundel schijnt schuin naar beneden. Michael graait met zijn hand in de diepte en haalt er een zwarte vuilniszak uit.

Voorzichtig staat hij op en gaat op het gammele campingstoeltje zitten. Hij legt de zaklantaarn naast zich neer. Dan keert hij de inhoud van de zak om op het tafeltje. Er komen wel een stuk of tien portemonnees en portefeuilles tevoorschijn. Ook valt er nog een dunne, smalle agenda uit de zak, die op de vloer klettert. Michael bukt zich en raapt het boekje op. De agenda zelf is oud en versleten, maar de inhoud is nieuw en voor Michael heel belangrijk. Hier doet hij zijn boekhouding in. Hij bladert door het boekje en vindt dan wat hij zoekt: de bladzijde *Veroveringen*. Michael heeft precies bijgehouden hoe de stand tot nu toe is. Dan trekt hij de laatste verovering uit zijn jaszak. Dit is nog spannender dan het uitpakken van de surprises met sinterklaas op school. Het is een prachtige portefeuille van glimmend leer. Michael klapt hem open. Aan de linkerkant zitten een aantal bank- en giropasjes en rechts zit de rits.

'Rits, rits, rits', zingt Michael zachtjes. 'Wauw, wat een hoop poen had die vent bij zich. Wauw hé.'

Michael trekt het papiergeld te voorschijn en begint te tellen. Zevenhonderdvijfentwintig euro! Met een glunderend gezicht begint hij het geld te sorteren. Een stapeltje honderdjes, een van twintig en een vijfje. In het ritsvakje zit ook nog wat losgeld. Dan duikt Michael nog een keer in het gat in de grond en haalt er een schoenendoos uit. Hij ruikt er even aan.

'Ze zeggen dat geld stinkt', zegt Michael zachtjes tegen zichzelf. 'Misschien is dit dan die geur. Nou ja, dat moet dan maar.'

Hij haalt het deksel van de doos. Er liggen allemaal keurig bijeen gepakte stapeltjes bankbiljetten op de bodem. Om elk stapeltje zit een andere kleur elastiekje. Het losse geld zit in een plastic zakje. Michael stopt zijn nieuwe buit bij de juiste stapeltjes.

'Oké, Vingervlug, nu alles nog even netjes opschrijven in je huishoudboekje', mompelt Michael.

Op de bodem van de doos ligt een stompje potlood.

Plotseling lijkt het of zijn hart stilstaat.

'Michael! Miiichaellll!'

Zijn moeder! Zijn moeder staat te roepen. Hoe kan dat nou, die is toch nog op haar werk? Als ze maar niet naar de schuur komt, denkt Michael paniekerig. Hij heeft de deur toch wel goed op slot gedaan? Wat moet hij nou doen?

'Michael, ben je in de schuur, Michael?'

Zijn moeder heeft natuurlijk zijn fiets zien staan. Ze kan in ieder geval niet naar binnen kijken. Als ze nou maar weggaat.

Ze heeft me toch niet naar binnen zien gaan, flitst het dan door zijn hoofd. Hopelijk denkt ze dat ik ergens aan het spelen ben.

Zo zacht mogelijk raapt hij de portefeuilles en portemonnees bij elkaar en stopt ze terug in de vuilniszak. Vlug. Ook de agenda stopt hij erbij en hij doet het deksel op de schoenendoos. Op zijn tenen sluipt hij naar de verstopplaats. Voorzichtig schuift hij alles op zijn plaats en trekt daarna behoedzaam de plank in de opening. Zijn hand trilt een beetje en hij heeft het opeens bloedheet.

Dan hoort hij met een klap de achterdeur dichtslaan. Even blijft Michael nog muisstil staan luisteren. Hij hoort niets meer. Zijn moeder is blijkbaar weer naar binnen gegaan.

Alleen de centrifuge nog terug op zijn plaats. Zo, die staat, alsof het zo hoort.

Nu het gevaar geweken is, denkt Michael: Ik zal toch maar gaan kijken wat er aan de hand is. Het is niet normaal dat ze nu al thuis is.

Nog één keer kijkt hij om zich heen om te zien of alle sporen uitgewist zijn. Eerst doet hij het licht uit. Het is nu stikdonker. Zachtjes draait hij de sleutel om en doet de deur op een kiertje open. Niemand te zien, de kust lijkt veilig.

Michael stapt, met zijn rechtervoet eerst, want dat geeft een veilig gevoel, de schuur uit en de achtertuin in. Fluitend loopt hij naar de buitendeur.

Hoofdstuk 4

Foto's

Door het achterraam ziet hij zijn moeder zitten. Ze zit bij de eettafel met haar hoofd in haar handen. Haar schouders gaan schokkerig op en neer, ziet Michael geschrokken. Hij trekt met een ruk de achterdeur open. De windgong, die met een touwtje aan een spijker hangt aan de binnenkant van de deur, laat een kakofonie van klingelbellen op hem los.

Kwade geesten kun je er volgens mij toch niet mee tegenhouden, denkt Michael, ze kunnen me nog meer vertellen. 'Mam,' roept hij, 'mam, ben je al thuis? Ik dacht dat ik je buiten hoorde roepen.' Michael moet zijn rol blijven spelen. Hij loopt door de keuken en via de gang naar de woonkamer. 'Mam ...'

Zijn moeder zit met gebogen hoofd en rood betraande ogen bij de tafel. Haar mascara heeft zwarte watervalletjes getekend op haar bruine wangen.

'Wat is er, mam? Wat is er gebeurd?'

Zijn moeder maakt snikkende geluiden.

'Mam, wat is ...?'

'Ik ben ontslagen', antwoordt zijn moeder in het Thais.

'Ontslagen? Maar hoe kan dat nou?' Michael wil bijna zeggen: 'Heb je wat gestolen? Een portemonnee of zo?' Maar gelukkig kan hij zich net op tijd inhouden. Zijn moeder zou zoiets nooit in haar hoofd halen, denkt Michael. Maar ik wel? Als ze het wist, zou ze het verschrikkelijk vinden, echt vreselijk. Ze zou het niet begrijpen en nog veel verdrietiger zijn.

Michael schuifelt wat dichter naar zijn moeder toe. Op de tafel staat een oranje asbak, die voor de helft gevuld is. Een rookpluimpje kringelt in de richting van het kale gloeilampje aan het plafond. Michaels moeder draait kringetjes met haar wijsvinger rond een van de vele brandplekjes in het tafelblad.

'Maar je had het toch zo naar je zin? Allemaal leuke mensen, zei je. Je werd er alleen een beetje dikker van.'

Zijn moeder glimlacht, heel even. Met dikke, zwart omrande ogen kijkt ze Michael aan. 'Zij zeggen dat ik niet goed Nederlands kan spreken. Zij moeten me alles wat vaker vertellen. Dat kost tijd en geld, dus ontslaan ze me.'

'Wat een onzin, zijn ze nou gek geworden! Waarom moet je Nederlands praten om taarten te kunnen opmaken', probeert Michael zijn moeder te troosten.

Michael weet best dat het Nederlands van zijn moeder niet super is. Ze is geboren en opgegroeid in Thailand. Wat maakt dat nou uit.

'Jij maakt de mooiste taarten van allemaal. Ik heb ze zelf zien liggen in de winkel.'

Michaels moeder werkte nu alweer een paar maanden in een grote taartenbakkerij. Het was eenvoudig werk, maar zijn moeder vond het wel leuk. Ze deed zo haar best om geld te verdienen voor hen beiden.

'Lieve jongen,' snikt ze, 'de baas wilde mij niet ontslaan, maar de andere meisjes wel. Ze waren niet aardig voor mij. Ze zeggen allemaal lelijke dingen. Zij zeggen dat ik mijn handen niet was, maar ik heb nu eenmaal bruine handen. Ik heb lang haar. Ze zeggen dat ik mijn haar niet goed genoeg in mijn mutsje heb gedaan.' Zijn moeder wrijft door haar lange, glimmende zwarte haar.

'Zijn ze nou helemaal! Wat een rotstreek, mam, maar zij zijn toch niet de baas?'

'De baas is bang voor de andere meisjes. Ze hebben een heel grote mond, daarom durft hij niets tegen hen te zeggen.' Dan begint Michaels moeder weer ontzettend te huilen.

'Zal ik een kopje thee zetten, mam?', vraagt Michael. Hij kan hier eigenlijk niet zo goed tegen. Hij weet niet wat hij moet doen. Hij voelt medelijden met zijn moeder, maar hij voelt nog meer boosheid komen opzetten. Hij wordt er woedend om. Zijn moeder is een lieverd. Ze moeten niet met hun tengels aan zijn moeder komen, nooit!

Dit is nou al het zoveelste baantje waar ze ontslagen wordt. Hoe moet het nu verder? Hij weet dat zijn moeder bijna geen geld meer op de bank heeft staan. Michael kijkt naar zijn versleten spijkerbroek. Hij draagt hem bijna dagelijks. De draden hangen erbij, maar een nieuwere heeft hij niet. Ach wat, dat kan hem ook eigenlijk niet schelen. Hij hoeft ook niet zo nodig met zo'n oversized model te lopen, zoals een heleboel jongens dragen. Zijn T-shirts kunnen ook nog wel een poosje mee.

Nou is er weer iets misgegaan op haar werk. Hij weet dat zijn moeder hartstikke haar best doet, maar iedere keer gebeurt er iets vervelends. Dan vinden ze haar te langzaam, dan weer te vlug, en dan lacht ze weer te veel. Kan zij er wat aan doen dat ze altijd lacht. Zijn moeder lacht altijd, ook als mensen haar uitfoeteren. Zo heeft ze dat geleerd van haar ouders. Het is niet beleefd om je boosheid te laten zien aan anderen. Zelfs je verdriet houd je voor jezelf. Zo gedragen mensen zich nu eenmaal in Thailand. Maar de mensen begrijpen haar niet. Nou ja, denkt Michael, misschien is het allemaal wel een beetje logisch. Koude Nederlandse kikkers lachen alleen voor de televisie of als ze bij vrienden zijn, of op vakantie in het buitenland.

'Thee?', zegt zijn moeder, terwijl ze haar tranen droogt. Michael is nu zelf even met zijn gedachten op reis en hij hoort zijn moeder niet. Hij kijkt de kamer rond, maar beseft dat hij al gauw is uitgekeken. Er staat niet veel om te bewonderen. Een beschadigde eettafel met een paar gammele stoelen, die Michael twee jaar geleden bij het grofvuil heeft weggehaald. Aan de lange wand staat een oude kunstleren bank met drie grote scheuren erin. Op de vloer ligt goedkoop zeil, het goedkoopste dat ze hadden kunnen vinden in de uitverkoop. Het voelt in de winter koud aan onder je sokken en als je op blote voeten loopt. Tegen de wand staat een oude kast. De snuisterijtjes van zijn moeder verdrinken bijna in de diepe schappen. In een hoek van de kamer hangt een oud stereomeubeltje kreunend aan de muur zonder stereo-installatie.

Eén hoekje van de kamer is wel mooi. Op een sierlijk bewerkt tafeltje staat een prachtig tempeltje. Er brandt een rood waxinelichtje. Vlak naast het tempeltje staan een paar verbleekte footootjes in goedkope lijstjes. Maar het opvallendst zijn de mensen op de footootjes. Een voor een kijken ze lachend en blij naar de camera. In het midden staan twee oude, magere, figuurtjes. Een man en een vrouw. Hun dunne kleding hangt vormeloos over hun magere lichamen. Het zijn de opa en oma van Michael.

'Eh ... thee, ja ik lust wel thee, Michael.'

Michael schrikt op uit zijn gepeins en drentelt naar de keuken. Hij zet de gedeukte fluitketel op het vuur.
Even later kookt het water en giet Michael het in de theepot. Hij laat het gebruikte theezakje van die ochtend in het water zakken. Dan pakt hij twee mokken van een rek en schenkt de dampende thee in.
'Dankjewel, jongen', zegt zijn moeder. 'Ik ga morgen weer werk zoeken. Misschien straks, ja straks nog.'
'Nee, niet straks', reageert Michael. 'Jij blijft thuis om een beetje uit te rusten. Zal ik vanavond het eten klaarmaken? We hebben nog wel een restje mihoen in de koelkast, goed?'
'Nee, jij moet nu gaan spelen, het is nu mooi weer. Ga lekker voetballen met de andere kinderen.'
Michael schrikt. Hij zou inderdaad gaan voetballen met

Younous. Er moet zeker al een halfuur voorbij zijn, maar hij kan zijn moeder nu toch niet alleen laten?

'Ga nou maar, Michael', dringt zijn moeder aan. 'Toe maar, dan kan ik een poosje nadenken en even met opa en oma praten.'

Michael weet wat zijn moeder bedoelt. Ze zit vaak op haar knieën voor het altaartje en staart naar de foto's. In gedachten is zijn moeder dan bij opa en oma. Ze zegt altijd dat ze op die manier met hen kan praten. Ze heeft op dat moment het gevoel dat ze bij hen is en misschien is dat ook zo.

'Vind je het niet erg dan, als ik even ga voetballen?' Michael kan eigenlijk niet beslissen.

'Nee, natuurlijk niet, ga maar gauw.'

Michael loopt naar zijn moeder, geeft haar een kus op haar natte wang en rent dan naar buiten. De schuursleutel verstopt hij straks wel, als het donker wordt.

Binnen een paar minuten is hij op de Geitenwei.

Younous heeft zijn best gedaan: er lopen zes jongens en twee meisjes rond te dollen met een versleten bal. Sommigen hebben hun voetbalkleren aangedaan. Charlie heeft zelfs zijn Feyenoordoutfit aangetrokken, de uitslover.

Hij kan niet eens voetballen, denkt Michael. Maar ja, hoe zei de meester dat laatst ook alweer? Kleren maken de man.

'Hé Maikie, waar bleef je nou, man?', roept Younous. 'We zitten al uren op je te wachten.'

'Sorry,' zegt Michael, 'ik moest nog een boodschap doen. Was ik vergeten.' Weer een leugen, denkt Michael.

'Oké jongens, allemaal op de foto.' Younous haalt van

onder zijn groezelige T-shirt een klein fototoestelletje te-voorschijn.

'Foto?' Een heleboel vragende gezichten.

'De officiële wedstrijdfoto, je weet wel. De ene helft gaat stoer met de armen over elkaar staan en de andere helft gaat kreunend en steunend op zijn hurken zitten. Komen je dikke dijen beter uit.'

'Ik vooraan!', gilt Charlie.

'Ja, het kleintje uit groep zeven mag wel vooraan', roept Ronald.

Younous loopt uitsloverig rond met zijn plastic toestel. Hij geeft verwoed aanwijzingen voor een juiste opstel-ling. Er wordt een hoop geduwd en getrokken, gestompt en geknepen, en ten slotte ligt, hangt of handstandt ieder-een op de plek die hij zelf heeft uitgekozen. In een wirwar van handen en voeten maakt Younous drie foto's.

'Voor als er een mislukt', roept hij luid.

'Ze zijn allemaal gelukt', brult Ronald.

Younous kijkt Ronald vragend aan.

'Ja dombo, natuurlijk gelukt. Jij stond er toch niet op!'

Ronald moet vluchten voor een opgedroogde honden-drol, die Younous met alle kracht naar zijn hoofd gooit.

Het wordt een dolle boel die middag. Er wordt zelfs gevoetbald en niemand wint.

Opeens klinkt, vanuit een groepje huizen dat aan het grasveldje grenst, de eerste lokroep van een dreigende vrouwenstem.

'Charlieieieieie! Eeeetennnn!'

Dat is meteen het sein voor alle anderen om naar huis te gaan.

Younous en Michael lopen samen een stukje op.

'Leuk fototoestel', grinnikt Michael. 'Zit er wel een rolletje in?'

'Nee, moet dat dan?', antwoordt Younous serieus.

'Ach, ik weet niet', zegt Michael. 'Ze zeggen dat de kleuren dan mooier worden.'

'Doe ik er de volgende keer een rolletje in. Heeft mijn tante namelijk ook al opgestuurd, uit Suriname. Moet jij er een van mij nemen als ik mijn jurk aan heb.'

Op de hoek van de Enk en de Sparrendaal geven de jongens elkaar een zogenaamde zoen.

'Viezeriken', horen ze een meisje zeggen, dat toevallig langs fietst. 'Zo jong al.'

'Ach, bemoei je er niet mee, je bent gewoon jaloers. En wij zijn toevallig gewoon op elkaar!'

Lachend loopt Michael naar huis, maar zijn vrolijke bui verdwijnt als een zeepbel die uit elkaar spat in de wind.

Zijn moeder ontslagen. Waardeloos. Hij moet morgen maar weer gauw naar het winkelcentrum.

Hoofdstuk 5

Reuzenschildpadden en een paspop

Als Michael de tuin in stapt, komt een verrukkelijke geur hem tegemoet. Hij ziet door de ruit in de achterdeur dat zijn moeder staat te koken.

'Hai mam, wat ruikt het hier lekker. Wat ben je aan het maken?'

'Hallo Michael. Ik maak kokossoep met kip voor jou. Dat vind jij toch lekker?'

'Mam, dat is veel te duur! We hadden toch afgesproken dat we alleen op zaterdag kip zouden eten? En kokosmelk is niet te betalen en zeker niet bij die dure toko waar jij altijd boodschappen haalt.'

Het gezicht van Michaels moeder kijkt opeens niet meer zo vrolijk. Ze legt de pollepel neer en draait het gas onder de zwartgeblakerde wok uit. 'Ga jij eens zitten, Michael', zegt ze zacht.

Michael laat zich met een plof op een krukje zakken.

'Luister, Maikie. Jij bent mijn grote zoon, jij bent alles voor mij. Jouw vader woont hier niet meer, jouw vader is weggegaan.'

'Mam', zegt Michael zacht.

'Stil. Jij bent voor mij een grote hulp, mijn grote man. Maar als ik lekkere soep wil maken voor jou, dan doe ik dat. Geld is niet belangrijk. Jij bent belangrijk. Ik vind het fijn om goed voor jou te koken.' Michaels moeder begint zacht te huilen.

'Stil nou mam,' zegt Michael, 'niet huilen. Natuurlijk vind ik jouw kokossoep het allerlekkerst, maar ...'
'Niet maar, Maikie. Wil jij mij helpen met vlees snijden?', vraagt zijn moeder met een betraande glimlach.
'Mam, mag ik wat vragen?', zegt Michael.
'Wat wil je vragen?'
'Heb jij nog een foto van mijn vader?'
Zijn moeder schrikt, maar blijft zonder iets te zeggen voor zich uit kijken.
'Mam?'
'Nee Michael, ik heb alle foto's weggegooid.'
'Waarom?'
'Omdat ... omdat ik zijn gezicht wilde vergeten.'
'Weet je het zeker? Heb je echt niet één fotootje meer?'
Michaels moeder draait een shagje uit een bijna leeg pakje. Ze neemt een diepe haal. Michael wordt er bijna misselijk van. Hij weet dat je ziek kan worden van roken. Het staat met koeienletters op elk pakje. Waarom doet ze dat dan? Straks gaat ze ...
Dan staat ze op en loopt de keuken uit. 'Blijf even daar, Michael, ik ben zo terug.'
Michael hoort haar de trap op lopen. Hij duwt meteen de sigaret uit in de halfvolle asbak.
Even later staat ze voor hem. In haar handen houdt ze een lichtbruin boekje. Het lijkt wel een fotoalbum.
'Wat is dat, mam? Ik heb dat boekje nooit gezien.'
Michaels moeder legt het boekje voorzichtig voor hem neer op het keukentafeltje. Twee uit hout gesneden olifanten met verstrengelde slurven versieren de voorkant.
'Mag ik er in kijken?'
'Ja natuurlijk, maar sla de bladzijden voorzichtig om.'

Michael maakt het boekje open. Op de eerste bladzijde zijn twee fotootjes geplakt. Hij ziet meteen wie het zijn: opa en oma. De fotootjes lijken sprekend op de foto's bij het altaartje in de kamer.

'Mijn pap en mam', zegt zijn moeder.

Michael knikt en slaat de volgende bladzijde om, maar die is leeg. De volgende is ook leeg en de volgende en de volgende. Ze zijn allemaal leeg. Je kunt alleen nog zien waar de andere foto's gezeten hebben. Het papier voelt erg dik aan, als een soort karton. Als Michael weer een bladzijde omslaat, slaat zijn hart een slag over. Hij ziet een man en een vrouw. De vrouw draagt een baby in haar armen en kijkt heel gelukkig. De man staat op een meter afstand van de vrouw en kijkt ongeïnteresseerd een andere kant op. Michael herkent meteen zijn moeder. De baby moet hij zelf zijn. Ook zijn vader herkent hij, ook al heeft hij zijn gezicht in geen jaren gezien. Alle herinneringen van het moment dat zijn vader wegging komen weer boven.

Zijn moeder had hem net opgehaald uit school. Ze waren samen huppelend thuisgekomen. Hij herinnert zich nog dat hij een tekening had gemaakt van een paddenstoel met een kabouter. Voor papa. In de kamer stond zijn vader. Er stonden twee grote koffers op de grond naast de opgestapelde boxen van de stereo. 'Ik ga weg', had zijn vader gezegd. Verder weet hij niet meer wat er precies gebeurde. Zijn moeder was gaan huilen. Ze was naar zijn vader toegelopen en had hem gevraagd niet weg te gaan, maar hij had niet willen luisteren. Michael ziet zichzelf nog in de bijna lege kamer staan, met zijn tekening in zijn hand en zijn duim in zijn mond. Hij weet nog dat hij ook was gaan huilen. Zijn vader had even naar hem gekeken, maar had niets gezegd, zelfs geen gedag. Opeens was zijn vader weg met de koffers en de stereo. Michael was naar het raam gelopen en op een stoel geklommen. Door het raam had hij de grote auto van zijn vader gezien. Naast het geopende portier stond nog een man, een grote man. Toen sloegen de deuren van de auto dicht. Zijn vader had niet omgekeken. Hij had niet eens gezwaaid.

Het lijkt alsof Michael wakker wordt uit een afschuwelijke droom. Een droom die hij al heel vaak gehad heeft, maar die telkens terugkomt. Hij kijkt naar de foto, naar de vader met zijn donkerblonde haar. Hij haat die man.

'Wil jij die foto hebben, Michael?'

Michael schudt zijn hoofd. Deze foto hoeft hij niet. Hij wil die man op de foto nooit meer zien. Hij is stom geweest om naar die foto te vragen. Nu heeft hij zijn moeder nog verdrietiger gemaakt. Hij heeft helemaal geen foto nodig, want in zijn herinnering weet hij eigenlijk nog precies hoe zijn vader eruitzag.

'Zullen we nu dan soep gaan maken?'

'Goed,' zegt Michael, 'dan zal ik de kip snijden.' Hij geeft zijn moeder een knipoog. 'Bedankt, mam.'

'Waarvoor, Maikie?'

'Voor alles.'

Michael neemt zich voor nog beter zijn best te gaan doen en nog voorzichtiger te zijn. Misschien moet hij wel twee keer zo vaak naar het winkelcentrum. Hij wil dat zijn moeder weer gelukkig wordt.

Na het eten kruipen ze samen gezellig op de bank. Op de televisie is een documentaire over reuzenschildpadden.

De grote dieren zweven sierlijk door het water en even later kruipen ze moeizaam het strand op. Daar leggen ze hun eieren in het warme zand.

'Laem Son', wijst Michaels moeder. 'Als klein meisje ben ik daar met mijn opa geweest.'

Michael knikt.

'Reuzenschildpadden zijn bijna uitgestorven', bromt de zware stem van de commentator.

Michael kan zijn aandacht niet bij de film houden. Zijn gedachten dwalen terug in de tijd. Twee jaar geleden.

Simon had hem uitgenodigd op zijn verjaardagsfeestje. Simons moeder was juf en bedacht altijd iets bijzonders. Ze gingen W.A.B. spelen: Wereldkampioenschap Anti-Bibberhanden. Michael haalde pijnloos de organen en botjes uit zijn patiënt. Dokter Bibber piepte niet één keer. Bij een volgend spel bleef de ezel onbeweeglijk stilstaan tot Michael alle bagage op zijn rug had gelegd. Dat lukte niemand anders.

Een toren van 15 glaasjes was later het record van die middag. Het stond op Michaels naam. De spiraal en de toren van Pisa, Michael kon ze allemaal de baas.

Michael had die spelletjes nog nooit gespeeld. Ze hadden thuis alleen een stapeltje speelkaarten.

Als finalespel toverde Simons moeder een oude paspop te voorschijn. Ze had de pop een oud herenkostuum aange-trokken.

'Nu gaan we ondeugend doen. We gaan zakkenrollertje spelen', kirde ze met haar hoge stem.

In de zakken van het pak zaten lolly's verstopt. De pop stond op een wiebelige standaard. Als je iets te onvoor-zichtig was, viel hij om. Een voor een kwamen de kinde-

ren aan de beurt. Pech voor iedereen. Michael grabbelde ze wel allemaal bij elkaar. Hij deelde de lolly's uit aan zijn vrienden.

Aan het eind van de middag mocht 'wereldkampioen' Michael de paspop als hoofdprijs mee naar huis nemen. Een jaar later, tijdens een film op televisie over een jonge zakkenroller die geld voor zijn zieke zusje bij elkaar probeerde te krijgen, werd zijn toekomstplan geboren. Als hij maar genoeg zou oefenen, kon het lukken.

De maanden erna oefende Michael dagelijks met de pop. Daarna haalde Michael flippo's, voetbalplaatjes en fietssleutels uit de zakken van zijn vriendjes. Ze merkten het niet. Natuurlijk gaf hij alles wel terug. Iedereen was vol bewondering en moest erom lachen. Michael besloot om het plan door te zetten. Vanaf dat moment werden zijn vriendjes met rust gelaten en kwamen er echte slachtoffers voor in de plaats. Die lachten nooit. Alleen Michaels glimlach werd steeds breder. Hij deed het voor een goed doel.

'Michael? Michael, slaap je?'

'Nee mam. Nou ja, ik zat een beetje te dromen', zegt Michael met een slaperige stem.

'Zullen we dan maar naar bed gaan? Ik ben ook moe.'

Michael knikt. Hij geeft zijn moeder een kus, zegt welterusten en stommelt de trap op.

Morgen wil hij goed uitgerust zijn en proberen weer een goede slag te slaan.

Hoofdstuk 6

Wel een heel makkelijk klusje

De geuren van vochtig beton en benzinedamp prikkelen zijn neus. Hij staat hier nu al meer dan een halfuur en nog steeds heeft hij geen geschikte kandidaat gezien. Vanuit zijn vaste schuilplaats houdt hij iedere binnenkomende auto in de gaten.

Halfvier. Hij heeft nu al zeven keer op zijn kermishorloge gekeken. Juist op het moment dat hij besluit de volgende dag dan maar terug te komen, hoort hij een bekend zoevend geluid. Het is het geluid van brede autobanden onder een blauwgrijze BMW.

Op nog geen tien meter van zijn schuilplaats, achter een ronde betonnen pilaar, vindt de auto zijn parkeerplek. Bijna onmiddellijk wordt het bestuurdersportier geopend en stapt een dikke man in een strak zittend colbert uit. Met een nonchalant gebaar gooit de man het portier achter zich dicht.

Hij is dus alleen, merkt Michael op, maar dat geeft niet.

In zijn linkerhand draagt de man een donkerbruin attachékoffertje, terwijl hij een filtersigaret wegpiekt. Met korte, snelle passen loopt de dikke man in de richting van de liften. Michael volgt hem door de schaars verlichte ondergrondse ruimte. Als de man bij de liftdeuren is aangekomen, drukt hij op het groene knopje met de pijl omhoog.

Michael glimlacht. Pijl omhoog? Naar boven is niet altijd

vooruit. Wacht maar.

Geluidloos schuiven de liftdeuren open voor een drietal kakelende huisvrouwen op de terugweg van hun wekelijkse winkeltochtje. Met hun volgeladen boodschappentassen banen ze zich een weg langs de wachtende man.

'Knappe vent', hoort Michael een van de vrouwen smiespelen.

'Wel een beetje te dik', giechelt de tweede.

'Laat je man het maar niet horen. Wat dacht je trouwens van je eigen honnieponnie?', bromt de derde.

Het valt Michael nu pas op dat de man een vettig paardenstaartje, slordig samengebonden met een zwart elastiekje, op zijn achterhoofd heeft zitten. Een nog mooier oriëntatiepunt, denkt Michael. Een slachtoffer met een staartje.

Als de man is ingestapt, glijden de liftdeuren sissend dicht.

Michael rent naar de trap naast de liften. Rechtervoet op de eerste tree. Daarna rent hij met twee treden tegelijk de trap op.

Als hij boven in het winkelcentrum aankomt, wordt hij zoals altijd overspoeld door een mix van geluiden. Mensen lopen in drommen door en langs elkaar. Michael bukt zich om zogenaamd de veter van zijn schoen te strikken, maar hij houdt nauwlettend de liftdeuren in de gaten.

De lift gaat open en zijn slachtoffer stapt, opvallend lichtvoetig, naar buiten. Zonder te aarzelen en met kleine, maar snelle passen loopt de man rechtsaf in de richting van het Ahoy-complex.

Michael volgt de man op zo'n tien meter afstand. De veilige afstand. Zoals altijd heeft hij één oog gericht op de massa's uitgestalde waren in de etalages van de winkels, maar zijn prooi verliest hij niet uit het oog. Hij weet precies wat hij doet en wat hij wil.

De amandelkleurige ogen van de jongen hebben de man, maar vooral zijn kleding en het koffertje, al goed bestudeerd. Het zal een makkie worden. Dan, zoals bij ieder karwei, voelt hij toch weer het bekende nare gevoel in zijn buik. Hij kent dat gevoel, hij weet wat het betekent. Hij weet hoe het heet, maar hij verdringt het gevoel meteen weer. Zo kan hij toch niet werken?

Hé, waar is die vent nou gebleven? Michael kijkt snel om zich heen. Een golfje paniek overspoelt zijn schuldgevoel. De man is verdwenen! Hoe kan dat nou? Zo-even liep hij nog voor hem uit. Zou hij ... Nee, dat kan toch niet? Hij is toch zeker niet die winkel voor vrouwenondergoed binnengegaan?

Zo onopvallend mogelijk, met zijn handen in zijn zakken, slentert Michael naar de glazen deuren van de lingeriewinkel. Vanuit zijn ooghoeken speurt hij de hele winkel af. Voor geen goud zal hij daar naar binnen gaan.

Dan lijkt het of Michael getroffen wordt door een bliksemschicht. Hij voelt een dikke, vlezige hand die keihard in zijn linkerschouder knijpt. Met een ruk draait hij zijn hoofd om. Hij kijkt in het vadsige gezicht van de man met het staartje. Michaels mond valt open van schrik.

Er verschijnt een gladde glimlach op het brede gezicht van de man. Een gouden tand blinkt tussen zijn scherpe boventanden. De glimlach is onecht en zorgt voor een ijskoude rilling over Michaels rug.

'Zo knul, mag ik jou eens wat vragen?'

Even slaat de paniek bij Michael toe.

Paniek? Waarvoor? Ik heb toch niets gedaan, flitst het door Michaels hoofd.

'Kun jij mij misschien vertellen waar ze goede tennis-rackets verkopen?' De greep op Michaels schouder verslapt, maar de hand blijft wel op zijn schouder rusten.

Michael kijkt de man verbaasd aan, maar dan herstelt hij zich. Normaal doen, denkt hij, geef gewoon antwoord. Beleefd blijven, onopvallend, maar ook een tikkeltje brutaal. Zoals alle jongens van mijn leeftijd.

Even doet Michael of hij moet nadenken, maar natuurlijk weet hij het antwoord als geen ander. Hij kent iedere winkel en elk plekje in het winkelcentrum. Michael heeft een complete plattegrond in zijn hoofd zitten, met alle toegangswegen en extra vluchtroutes. 'Nou, u kunt het beste naar die sportwinkel gaan.' Michael wijst in de richting van de geelgroen verlichte neonreclame schuin tegenover de plaats waar ze nu staan.

De man kijkt langs Michaels vinger en knikt. 'Oké, bedankt.' En zonder Michael nog een blik waardig te gunnen, loopt hij weg.

Even blijft Michael onthutst staan en voelt aan zijn pijnlijke schouder. 'Vage kerel', mompelt hij. 'Hoe deed die vent dat?' Wat zal ik doen, denkt Michael. Kan ik nu nog wel achter hem aan gaan of ... Dan komt er een vreemde gedachte in zijn hoofd op. Een soort herinnering. Het is heel onduidelijk en heel ver weg, alsof je door een beslagen ruit heen kijkt. Het lijkt wel of hij die man kent, of hij die man wel eens eerder gezien heeft. Het is gek, maar hij moet meteen aan zijn vader denken. Hoe lang heeft hij hem nu al niet gezien? Zeven jaar? Michael pijnigt zijn geheugen, maar kan zich niet duidelijker herinneren waar hij de man van kent. Kwam het misschien door die gouden tand?

Maar een andere herinnering brengt Michael weer op zijn oorspronkelijke plan. Michael begint meteen weer te lopen. Hij weet nu in ieder geval waar hij heen moet. Een prima plek voor zijn plannen.

Het gevoel van angst en twijfel is totaal verdwenen. Vol zelfvertrouwen loopt hij naar de sportwinkel. Zijn aangeleerde en geoefende jachtgevoel heeft hij weer voor honderd procent onder controle. Natuurlijk kan er niets misgaan.

De man met de paardenstaart staat in een hoek van de modern ingerichte winkel. Er klinkt zachte muziek uit de verborgen luidsprekers in het plafond. Halogeen spotjes verlichten de sportartikelen.

De man staat bij de tennisafdeling. In zijn enorme handen keurt hij een van de minstens tachtig tennisrackets die aan de wand hangen. Met zijn grote duimen controleert hij de bespanning, om daarna met zwaaiende bewegingen de balans van het racket te voelen. Het prijskaartje schijnt hem ook te bevallen, want zonder verder te zoeken loopt hij in de richting van de kassa. Met twee handen draagt hij zijn nieuwe aanwinst en hij lacht als een kleuter die zojuist een nieuw speelgoedautootje van zijn moeder heeft gekregen.

Dit is niet te geloven, wat een oen. Hoe groter, hoe stommer. Michael heeft alles zien gebeuren en is geluidloos en onopvallend dichterbij geslopen. Hij heeft precies gezien hoe de man zijn nieuwe speeltje uitzocht en er nu mee naar de kassa loopt. Daar staat een behoorlijke rij te wachten om te kunnen betalen. En nu laat hij zijn koffertje staan!

Michael moet aan een reclame denken op de tv: *Gemakkelijker kunnen wij het u niet maken.* Binnen drie seconden heeft Michael het koffertje gepakt. Hij bukt zich tussen twee winkelschappen met paardrijspullen en planken vol paardenspeelgoed.

Klik, klik. Koffer open. Snel overziet Michael de inhoud. 'Waardeloze troep, behalve dit juweel', praat Michael in zichzelf. De zwarte portefeuille verdwijnt in de binnenzak van zijn jack. Nog één keer vliegen zijn slanke vingers door de andere spullen. Niets.

Klik, klik. Koffer dicht. Wegwezen.

Nerveus kijkt Michael achterom. Hij ziet dat de man in een vrolijk gesprek is met de verkoopster. Hij heeft zeker nog niets in de gaten.

Als Michael bij de uitgang van de winkel is, blijft hij staan. De gewoonte is om te genieten van de verbaasde gezichten van zijn slachtoffers. Hun verontwaardiging, hun ongeloof over de brutaliteit van de zakkenroller. Er is bijna geen gelukkiger moment voor Michael te bedenken dan dat moment. Maar vandaag ... Stel dat de man toevallig zijn kant op zou kijken en hem zou zien staan. Twee ontmoetingen op één dag is te veel risico. Michael doet zichzelf de belofte om de volgende keer extra lang te blijven kijken en dan dubbel te genieten. Hij kan nu maar beter naar huis gaan. Voor vandaag geldt: mission completed. In zijn hoofd en in zijn fantasie kan hij het dikke gezicht van de man ook wel voor zich zien. De verbazing, het ongeloof en de woede. Misschien slaat hij zijn tennis-

racket wel kapot, in tientallen stukken op het hoofd van de verkoopster!

Terwijl zijn hand over zijn binnenzak glijdt, glipt er een zachte overwinningskreet over zijn lippen: 'Yes.'

Op het moment dat Michael vrolijk naar de uitgang van het Zuidplein loopt om zijn fiets te gaan pakken, wordt er een tennisracket terug gehangen in de moderne sportwinkel. Een grote man met een ruitcolbert en een vettig paardenstaartje bukt zich en tilt een attachékoffertje van de grond. Er klinken geen boze schreeuwen of lelijke woorden uit zijn mond. Zijn gezicht staat uitdrukkingloos. Zijn handen hebben een dofwitte kleur die veroorzaakt wordt door een ultradun vlies van latex. Hij draagt handschoenen die de sporen niet verwijderen.

Hoofdstuk 7

De ontvoering

Via de overbekende route komt hij bij de trap die hij een halfuurtje geleden is opgelopen. Tot nu toe heeft hij niet één keer achterom gekeken. Dat hoeft ook niet, er is geen gevaar. Niemand heeft iets gezien, daar is hij zeker van.

Hij loopt de trap af en verdwijnt dan via de ondergrondse parkeergarage naar uitgang Zuid.

Zijn fiets staat er nog. Zoals altijd op dezelfde plek.

Eenmaal weer op de normale rijweg springt hij op zijn fiets en racet ervandoor. Het eerste verkeerslicht springt, alsof het hem herkent, meteen op groen als hij eraan komt.

'Bedankt', roept Michael, 'en tot de volgende keer.'

Hij passeert het glazen zusterhuis van het ziekenhuis rechts van hem.

Misschien, denkt Michael, is het haar gelukt. Misschien is ze nu al bezig. Hij moet er eigenlijk niet aan denken. Bepaald geen gezellige plek om te werken. Hij kan wel iets leukers bedenken: de warme bakker of de muziekwinkel of een snackbar. Maar zijn moeder wilde met alle geweld meteen weer beginnen.

Vanmorgen vroeg had Michael de gratis huis-aan-huiskranten doorgespit. Zijn moeder had hem erom gevraagd, omdat ze zelf niet zo goed kan lezen.

'Zoek een mooie baan voor me, Michael. Ik wil snel weer werken. Geld verdienen voor jou.'

Michael had alle advertenties hardop voorgelezen. Voor alle banen had je diploma's nodig, maar die heeft zijn moeder niet. Toen was zijn oog gevallen op een vacature waar geen diploma's voor gevraagd werden: interieurverzorgster in het Ikaziaziekenhuis. Interieurverzorgster, nou ja, gewoon schoonmaakster dus, in een ziekenhuis. Ook toevallig dat hij dat woord net in een taalles had gehad, anders had hij het ook niet geweten. Dweilen, boenen, prullenbakken legen, wc's schrobben. De rommel opruimen van anderen.

'Dat is mooi werk, Michael', had zijn moeder gejuicht. 'Werken in het ziekenhuis, zieke mensen helpen. Ja, Michael, kijk maar niet zo vreemd. Dat werk moet ook gedaan worden. Ik zou het fantastisch vinden.'

Michael had geglimlacht.

Ze waren meteen naar de enige telefooncel gegaan die er in de wijk nog te vinden was. Ze mocht om elf uur komen voor een gesprek. Blij waren ze naar huis gegaan, nadat ze eerst nog snel even de supermarkt binnen gelopen waren om er twee koffiebroodjes te kopen. Om het te vieren.

Plotseling schrikt Michael op uit zijn gemijmer. Het geluid van een loeiende sirene komt snel dichterbij. Michael kijkt schichtig achterom en ziet een witte, met oranje en blauwe strepen versierde politieauto met zwaailicht en sirene de straat in komen. Zijn hart begint als een gek te bonken. Michael gaat harder fietsen. Hij wil vluchten, ook al weet hij best dat de politieauto hem met gemak kan inhalen.

Het geluid van de sirene wordt nu oorverdovend. De auto zit vlak achter hem.

Nu ben ik er bij, het is afgelopen, denkt hij in paniek.

Rakelings passeert de politiewagen hem. Michael wordt bijna opzij gezogen door de snelheid waarmee de auto langsrijdt. Vlak voor hem komt de auto met gierende remmen tot stilstand. Links en rechts zwaaien deuren open en er springen vier mannen met verbeten gezichten en getrokken pistolen naar buiten.

Het lijkt of zijn hart stilstaat. Dat was het dan, denkt Michael.

De vier mannen rennen naar een vrijstaand huis, waarvan alle ramen geblindeerd zijn. Michael ziet alles in een paar seconden gebeuren. Twee mannen rennen via een zijpad naast het huis naar de achtertuin. Twee anderen stuiven op de voordeur af.

Michael beleeft alles alsof hij in een huiveringwekkende actiefilm meespeelt. Maar zet die film dan af, Michael, schettert een stem in zijn hoofd. Maak dat je wegkomt.

Michael stuift de politiewagen, waarvan de vier portieren nog open staan, voorbij. Hij durft niet achterom te kijken. Na ongeveer een kilometer te hebben gefietst alsof zijn leven ervan afhangt, durft hij wel weer om te kijken. Niets te zien.

'Hèhè,' zucht Michael, 'hèhè.'

Meteen denkt hij aan meester Van Brakel. Als een van de kinderen uit groep acht zo zucht bij een repetitie of een moeilijk dictee en 'hèhè' zegt, reageert meester altijd met '"Hèhè", zegt een boer die een wind gelaten heeft.'

De paniek van een paar minuten geleden is gelukkig weer gezakt. En Michael is nu bijna thuis.

Het is vrij rustig op straat. Geen vrienden en bekenden te zien. Geen kinderen uit zijn klas. Die zitten natuurlijk allemaal voor de buis of achter een lekkere prak. Misschien wel patat met een frikadel, of een pizza. Bij die gedachte merkt hij dat zijn maag al een poosje onbedaarlijk aan het knorren is.

Michael is tevreden over zichzelf. Hij weet dat hij nu bijna genoeg geld bij elkaar heeft om zijn moeder gelukkig te maken. Hij zal wél voor zijn moeder zorgen, beter dan zijn vader ooit gedaan heeft. Dat betekent dat ze niet lang meer hier hoeven te blijven wonen. Nog een paar keer maar en dan zal hij alles aan zijn moeder vertellen. Wat zal ze blij zijn als ze eindelijk weer naar huis kan gaan naar Thailand, naar haar eigen land, haar ouders en familie. Maar voorlopig moet het nog een geheim blijven. Niemand mag het weten en niemand zal het te weten komen ook! 'Straks zal ik ook wat te eten klaarmaken als mam er niet is, maar eerst ga ik naar de bergplaats', zegt hij tegen zichzelf.

Als Michael het grindpaadje achter zijn huis in wil rijden naar het schuurtje, ziet hij een donkerblauwe bestelbus voor de inrit staan. Die auto kent hij niet. Saai model, niet eens ramen, denkt Michael en hij stapt vlak achter de auto van zijn fiets.

Dan gebeurt er opeens een heleboel tegelijk. De twee achterdeuren van de bestelauto worden van binnenuit opengegooid. Twee in het zwart geklede mannen met bivakmutsen over hun hoofd springen naar buiten. Alleen hun ogen zijn te zien. Eén man trekt Michaels fiets uit zijn handen en gooit die met een klap op de grond. De andere man grijpt Michael ruw vast en slaat zijn armen als een bankschroef om Michaels lijf. Het lijkt wel of in één keer alle lucht uit zijn longen wordt geperst. De man die zijn fiets heeft neergegooid slaat een van zijn gehandschoende handen voor Michaels mond. Michael probeert in de hand van de man te bijten, maar het lukt niet. De handschoen duwt te hard tegen zijn tanden. Dan duwen de twee paar handen hem hardhandig de auto in. Michael probeert om hulp te roepen, maar zijn mond wordt nog steeds dichtgesnoerd door de dikke handschoen van zijn belager. Hij proeft een vieze, leerachtige smaak in zijn mond. Uit alle macht probeert hij zich te verweren. Hij schopt woest om zich heen en probeert zich los te wrikken, maar een van de twee mannen draait meteen met een paar handige bewegingen een breed grijs stuk tape om zijn polsen en daarna om zijn enkels. Toch lukt het Michael nog om op het laatste moment, voor hij door de twee mannen op de bank wordt geduwd, met twee voeten tegelijk een van hen vreselijk hard tegen zijn schenen te schoppen.

'Rotjong', kreunt de man.

Net voor er een zwarte stoffen kap over Michaels hoofd getrokken wordt, ziet hij nog twee mannen. Zij zitten in de bestuurderscabine. Door het kleine ruitje dat de bagageruimte van de cabine scheidt, herkent hij de man die naast de bestuurder zit. Hij ziet de achterkant van een breed hoofd en een nog breder lijf. De man draagt een ruitcolbert en heeft een vettig paardenstaartje, dat met een zwart elastiek bij elkaar wordt gehouden.

De man uit het winkelcentrum?, flitst het door zijn hoofd. Dat kan toch niet? Michael probeert uit alle macht los te komen. 'Blijf van me af. Wat moeten jullie van me, laat me los ...', klinkt zijn gesmoorde stem.

Michael hoort nog hoe de zware achterdeuren van de bus

worden dichtgetrokken. Hij hoort ook dat meteen de motor wordt gestart en merkt dat de auto in beweging komt. Aan beide kanten voelt hij zware lijven die hem tussen zich in klemmen en hem bijna plat persen. Razendsnel bedenkt hij wat hij nog kan doen. Roepen kan niet, vechten kan niet, ontsnappen is onmogelijk. Door de kap over zijn hoofd kan hij nu ook helemaal niets meer zien. Hij moet in ieder geval proberen met zijn richtingsgevoel te bepalen waar de auto heen rijdt en te onthouden of de auto links of rechts afslaat.

Dan ruikt hij opeens een vreemde, scherpe geur. Door de stof van de kap voelt hij dat er iets vochtigs tegen zijn neus geduwd wordt.

Ziekenhuis ... ik ruik het ziekenhuis, is het laatste wat Michael denkt.

Het lijkt wel of het nog donkerder wordt, alsof hij via een spiegelgladde glijbaan afdaalt in een peilloze diepte. Dan voelt hij helemaal niets meer.

Hoofdstuk 8

De stem achter het licht

Michael droomt.

Hij loopt in een grote winkel en het is avond. Het is na sluitingstijd. Als hij omhoog kijkt, ziet hij dansende sterren twinkelen aan het plafond. De lucht is warm, zelfs broeierig heet. Mensen lopen heen en weer met zwarte kappen over hun hoofden. Ze lijken geen last te hebben van de hitte. Ze spreken zacht en fluisterend met elkaar. Hoe Michael ook zijn best doet, hij kan geen woord verstaan. De woorden zijn duidelijk niet voor hem bedoeld. Slechts één keer lijkt het of hij zijn naam hoort noemen. De mensen hebben lege handen en geen volle boodschappentassen zoals gewoonlijk. Ze lopen, met hun holle zwart omrande ogen dicht, doelloos in het rond.

Het volgende moment staat hij in een vierkante ruimte vol tennisrackets in alle kleuren van de regenboog. In een hoek staat een man met brede schouders en een paardenstaartje. Waar kent hij die man toch van? Michael draait zich om. In de tegenoverliggende hoek staat diezelfde man weer. Dezelfde houding, zijn gezicht van hem afgewend, alsof hij niet herkend wil worden. Heeft hij wel een gezicht? Michael kijkt naar links. Naar rechts. Steeds weer ziet hij de achterkant van de man in het geruite colbert met de paardenstaart. Hij hoort dat het fluisteren maar doorgaat. Hoog en hees gefluister. Michael kan er nog steeds geen woord van verstaan. Hij probeert verder te lopen, maar op de een of andere manier lukt dat niet. Het lijkt wel of zijn voeten dienst weigeren, niet willen gehoorzamen aan zijn wil. Is hij verlamd?

Het volgende moment zijn alle rackets verdwenen en is de wereld rondom hem compleet donker. Michael kijkt omhoog. Ook de sterren zijn als in een soort mist opgelost. Komt die mist misschien door de slaap in zijn ogen? Michael zou wel graag in zijn ogen willen wrijven, maar merkt dat ook zijn handen weigeren te gehoorzamen.

Plotseling begint de zon fel te schijnen, alsof het twaalf uur in de middag is tijdens een hete zomerdag. Een witte massa licht schijnt recht in zijn gezicht. Michael knippert met zijn ogen, maar het licht verdwijnt niet. Hij kijkt om zich heen, maar ontdekt dat alles verder pikkedonker is. Waar is hij in vredesnaam?

Als hij omlaag kijkt, ziet Michael zijn eigen armen. Zijn handen steken uit de mouwen van zijn smoezelige jack. Om zijn polsen zit nog steeds het zilverkleurige tape. Dan kijkt hij weer voor zich. Alles gaat heel langzaam, als in een vertraagd afgespeelde film.

Is hij nu wakker? Wat doet hij hier? Waar is hij terechtgekomen?

'Dag Michael.' Vanachter het felle licht klinkt een zware, onnatuurlijk klinkende stem. 'Je hebt eventjes geslapen, maar je bent nu weer wakker. Probeer rustig te blijven zitten en haal maar een keer diep adem.'

De stem heeft een mechanische klank. Michael beseft dat waarschijnlijk het geluid wordt vervormd door het microfoontje waar de man achter het licht in praat. Het geluid lijkt wel van alle kanten te komen. Alleen die stem, verder is het volkomen stil in de donkere ruimte.

'Wie bent u? Waar ben ik en waarom ben ik hier?' Michaels woorden klinken traag en zacht. Hij herkent nauwelijks zijn eigen stem.

'Eén vraag tegelijk, Michael', gonst de stem. 'Ik zal je overal antwoord op geven, alles op zijn tijd. En nu ... als je belooft rustig te blijven zitten, worden je handen en voeten losgemaakt. Beloof je rustig te blijven zitten, Michael?' De stem klinkt nu bijna vriendelijk.

Michael knikt. Wat kan hij anders doen.

'Er komt nu iemand naar je toe, dus houd je handen en voeten heel stil.'

Door het felle licht, dat Michael recht in zijn gezicht schijnt en waardoor hij verblind wordt, ziet hij niemand. Dan voelt hij dat er iemand naast hem staat en zich bukt. Met een paar snelle bewegingen worden zijn enkels losgemaakt. Dan voelt hij stevige handen, die de tape van zijn polsen verwijderen. Hij voelt dat een paar haartjes worden meegetrokken.

Dit is toch te gek! Droom ik nu nog steeds?, denkt Michael. Wat is hier aan de hand? Waarom voel ik me zo raar? Waar ben ik hier en wat gebeurt hier allemaal? Ik wil naar huis, ik moet hier zo snel mogelijk weg.

Michaels gedachten bewegen zich steeds sneller door zijn hoofd. Voor zijn gevoel zat hij nog niet zo lang geleden op zijn fiets en stopte voor zijn huis. Toen was daar die bus waar de deuren van open gingen. Hij ziet gemaskerde mannen voor zich, die hem ruw beetpakken. Michael knijpt stiekem met twee nagels in zijn onderarm. Hij voelt de pijn en als je pijn voelt, dan ben je wakker. Of zou je ook pijn kunnen voelen als je droomt?

'Ja, Michael, je bent wakker. Ik ga je nu vertellen waarom je hier bent, want dat wil je natuurlijk graag weten, niet?'

'Ja, ja, maar ik … ik … wil naar huis!' Michael voelt dat het achter zijn ogen plotseling akelig begint te branden. Komt het door het felle licht?

'Jij bent hier, Michael, omdat je een dief bent, een misdadiger!' De man spreekt het laatste woord uit met een slangachtige *ss*.

Het branderige gevoel in Michaels ogen wordt erger. Weer willen tranen tevoorschijn komen.

'Jij bent een gemene, kleine dief, die eerzame burgers berooft van hun spullen. Van hun geld, Michael.'

De eerste traan rolt zachtjes over Michaels bruine wang. Hij laat een glinsterend spoor achter, dat eindigt bij zijn kin.

'Jij weet ook vast wel wat er altijd met dieven gebeurt! Dieven gaan de gevangenis in. Ze gaan in heel kleine cellen zonder ramen, afgesloten met tralies van dik ijzer. In een cel is het heel erg saai. Je kunt er niet buiten spelen, Michael. Het doet pijn om in een gevangenis te zitten. Niemand moet nog wat van je hebben. Niemand, geen vriendjes. Je zou niet willen weten hoe erg dat wel is.'

De stem klinkt steeds dreigender, angstaanjagender. Een stem uit de onderwereld. Als het de bedoeling is om Michael de stuipen op het lijf te jagen, dan lukt dat heel goed.

'Als je in de gevangenis zit, ben je niets meer dan een smerige kakkerlak waar niemand meer een zier om geeft. Zo'n beest waar iedereen op wil trappen om hem uit te roeien.'

Meer tranen willen de eerste volgen. Michael haalt zijn neus op en veegt met zijn mouw over zijn gezicht.

Wie praat er tegen me? Waarom is het eigenlijk zo donker hier? Wie zijn hier allemaal nog meer, behalve de stem?, denkt Michael. Ze hebben een lamp op mij gericht. Geen zon, geen droom.

Het lijkt wel of het nu pas echt goed tot hem doordringt dat het hier gaat om de werkelijkheid. Hij zit hier gevangen en heeft niet het flauwste idee wie dit heeft gedaan. Michaels hand gaat voorzichtig naar de binnenzak van zijn jas. Waar eerst de portefeuille zat, voelt hij nu niets meer.

'Nee, Michael, foei toch. Die portefeuille die je zoekt is toch niet van jou, is het wel? Die had je toch ook al gestolen. Uit dat mooie koffertje, dat bruine koffertje, weet je nog wel.'

Michael voelt een beetje strijdlust opkomen. Hij heeft geleerd om te overleven in de grote stad, om op te komen voor zijn moeder en zichzelf. Hij voelt zich nu ook wat minder suf en slaperig. 'Hoe komt u daarbij, ik heb niks gedaan!'

'Tut, tut, tut, nog een jokkebrok ook. Dat valt me tegen van je, Michael, zo heeft je moeder je toch niet opgevoed. Die lieve moeder, die straks helemaal alleen achterblijft zonder zoon, als jij de gevangenis in draait. Schaam je je niet een beetje voor je moeder, Michael? En ze doet nog wel zo haar best voor jou.'

'Houd uw mond over mijn moeder', bijt Michael terug. Niemand mag ooit iets over zijn moeder zeggen. Niemand.

'Goed,' antwoordt de man, 'dan over je leugentje. Luister.'

Klik, klik.

'Herken je het geluid, Michael? Het geluid van het koffertje dat jij zo nodig, zonder het eerst beleefd te vragen, moest openmaken in die sportwinkel?'

Ze weten het, denkt Michael. De paniek begint nu echt toe te slaan. Zweetdruppeltjes glijden kriebelig via zijn nek over zijn rug en veroorzaken koude rillingen.

'Weet je, er zitten allemaal heel duidelijke vingerafdrukken op het koffertje. Je hebt het een beetje vies gemaakt. Met jouw kleine vingertjes heb je allemaal spoortjes achtergelaten.' Heel even houdt de man zijn mond, maar dan zegt hij keihard: 'En nu moet jij de bajes in, heel lang. Voor elke diefstal minstens een aantal maanden.'

'Nee,' schreeuwt Michael terug, 'nee, ik wil niet naar de gevangenis.' Michael wil opstaan, vluchten, maar twee stevige handen die uit het niets lijken op te duiken, drukken hem weer op zijn stoel.

'Blijf van me af! Waarom is het hier zo donker, waarom is het licht niet aan? Ik zie jullie niet. Waarom mag ik niets zien?' Michael weet niet waar hij de woorden vandaan haalt, maar de zinnen stromen uit zijn mond. Hij is boos en bang tegelijk. 'Volgens mij bent u niet eens van de politie. U hebt helemaal niets over mij te zeggen!' Michael gaat steeds harder schreeuwen. 'Als u van de politie was, dan ... dan ... dan had u mij niet ontvoerd!'

'Bravo, Michael, bravo, nou ken ik je weer. Je bent niet alleen vingervlug, maar ook je hersentjes werken meer dan prima. Je hebt goed nagedacht en dat is nu precies wat we nodig hebben.'

'Nodig hebben?', herhaalt Michael verbaasd.

'Juist, Michael. Wij zijn inderdaad niet van de politie. Laten we maar zeggen dat wij ons bezighouden met de veiligheid van ons en jouw land.'

'Mijn land?', herhaalt Michael.

'Maar om misverstanden te voorkomen: we werken natuurlijk wel heel nauw samen met de politie. Die kunnen hier bijvoorbeeld, als wij dat willen, binnen tien minuten zijn. Dan nemen ze jou mee en dan mag je de cel in. Ze krijgen van ons dan alle bewijzen in een keurig pakketje mee.'

'Maar ...?'

'Maar het hoeft niet. Als je het niet wilt, dan hoef je niet.' De man blijft even stil. In de verte klinkt zacht de tingel van een voorbijrijdende tram.

Weer flitsen allerlei gedachten door het hoofd van Michael. Wat bedoelt deze man, waar heeft hij het over?

'Wij hebben jou nodig, Michael.' De woorden worden zacht, maar overduidelijk uitgesproken.

Nu weet Michael het helemaal niet meer. 'Mij nodig?'

'Een ruil. Een goede ruil, zullen we maar zeggen. Jij doet iets voor ons en wij doen iets voor jou.'

'Ik begrijp het niet.'

'Ik zal het je uitleggen. Wij kunnen er misschien voor zorgen dat jij niet de gevangenis in hoeft. Ik zeg dus "misschien" ...'

'Niet?'

'Stil, laat mij uitspreken. Wij zijn daar machtig genoeg voor, maar jij moet daar wel wat voor doen. Iets eenvoudigs, iets dat voor jou helemaal niet zo moeilijk zal zijn. Wat zeg je daarvan, hm?'

'Wat moet ik dan doen?', vraagt Michael kleintjes.

'Dat kan ik jou op dit moment nog niet vertellen. Nou, wat kies je? Werk je met ons mee of moet ik de politie bellen? Tussen twee haakjes: je staat trouwens heel leuk op de foto's die we van je gemaakt hebben toen je, laten we maar zeggen "aan het werk was" op diverse dagen in het winkelcentrum.'

'Ik weet het niet, mag ik erover nadenken?', antwoordt Michael. Hij gaat er steeds minder van begrijpen. Eerst wordt hij ontvoerd door een stelletje gemaskerde mannen. Later blijkt dat die mannen voor de veiligheid van zijn land werken. Wat zou dat nou betekenen? Dan vertellen ze dat ze weten van zijn zakkenrollersactiviteiten. Waarom hebben ze het de politie dan niet verteld? Ze kunnen hem ook zo laten arresteren, maar ze vragen juist of hij iets voor hen wil doen. Wat dan? Zou hij misschien iets voor ze moeten ... Nee, dat kan toch niet? Hij kan het zich niet voorstellen. Maar heeft hij eigenlijk wel een keus? Ze hebben alle bewijzen in handen.

'Ja, je mag erover nadenken, en wel precies drie seconden. De tijd gaat nu in: één, twee, drie! Nou, wat is je antwoord?' De stem van de man achter de schijnwerper klinkt nu ijzig en koud. Een stem die geen tegenspraak duldt.

'Ja, oké, ik doe het', hoort Michael zichzelf zeggen.

'Mooi zo, Michael, dan hebben we nu een afspraak. Ik had niet anders van je verwacht.'

Even lijkt het of Michael iemand zachtjes hoort grinniken.

'We spreken nu het volgende af. Punt één: jij praat met niemand over wat er vandaag gebeurd is en dan bedoel ik ook met niemand, goed begrepen?'

'Ja.'

'Ja wat?'

'Eh, ja meneer.'

'Ja meneer en verder?'

'Ja meneer, ik praat er met niemand over.'

'Goed. Punt twee: vanaf dit moment ben je alleen nog voor ons aan het werk, niet meer voor jezelf. We zouden toch niet willen dat je, ondanks al je vaardigheden, toch alsnog gesnapt zou worden. Dan gaat ons pakketje bewijsmateriaal naar de politie. Begrijp je wat ik bedoel, Michael?'

'Ja ... ik bedoel, ik begrijp het.'

'Eén enkele opdracht krijg je! Als je in die opdracht slaagt, hebben we jou nooit gezien of gehoord of zelfs maar gesproken. Wij kennen jou niet, we weten niet eens dat je bestaat. Je kunt dan verder gaan met zakkenrollen

of wat je maar wilt.' De man draait schijnbaar zijn hoofd even af om zijn neus te snuiten. 'Slaag je niet, nou ja, dan heb je de komende jaren een heel eenzame moeder thuiszitten en jouw bruine velletje zal verbazingwekkend witter worden.'

Een ijzig lachje zorgt dat de koude rillingen opnieuw over Michaels rug lopen.

'Punt drie: jij kent ons niet! Wij kennen jou. We weten waar je woont, we weten alles van je. Doe dus geen moeite iets over ons te weten te komen. Meneer Tubber neemt heel binnenkort contact met je op en zal dan vertellen wat je moet doen.'

'Meneer Tubber?'

'Meneer Tubber ken je al. Hij draagt meestal een geruit colbert, heeft een paardenstaartje en is gek op tennis.'

Allemensen, denkt Michael, zie je wel, die vent uit die sportwinkel! En ik dacht nog wel ...

Even hoort Michael het kraken van zacht leer. De man achter de lamp gaat wat verzitten in zijn stoel. Vaag, heel vaag ziet Michael het silhouet van de man achter het verblindende licht. Ook nu weer, net als bij die meneer Tubber op het Zuidplein, voelt hij eenzelfde korte flits van een herinnering naar boven komen.

'Goed, Michael, wij gaan nu afscheid nemen. Jij mag natuurlijk niet weten waar we ons op dit moment bevinden, dus daarom krijg je weer een kap over je hoofd. Denk je dat je zonder tegenstribbelen mee kunt lopen of wil je weer liever slapend mee, zoals op de heenweg?'

Michael moet nu opeens aan zijn moeder denken. Hoe laat zou het wel niet zijn? Ze is vast erg ongerust. Hij moet nu zo snel mogelijk naar huis, niet slapend.

Het lijkt wel of de man achter de lamp zijn gedachten kan lezen.

'Het is nu kwart over zeven, Michael. De rit naar jouw huis duurt, als er geen files zijn, ongeveer een halfuur, als je meewerkt natuurlijk. Wat beslis je?'

'Ik zal heus niks doen', antwoordt Michael gedwee.

Hij voelt dat de donkere kap meteen weer over zijn hoofd geschoven wordt. Sterke handen pakken hem links en rechts bij zijn schouders en leiden hem weg.

Onderweg wordt er niet gesproken. Het lijkt wel of ze blindemannetje met hem spelen op een verjaardagsfeest-je. De vloer klinkt hol en galmend onder zijn voeten en hij voelt dat hij door een groot aantal gangen wordt geleid. Hij hoort het geluid van ratelende printers en het zoemen van computers.

Een verjaardagsfeestje is het in ieder geval niet.

Dan voelt Michael dat hij buiten staat. Een koel windje strijkt langs zijn handen en zijn lijf.

'Been optillen en instappen.'

Het zijn de eerste woorden die tegen hem gesproken wor-den sinds ze de donkere kamer hebben verlaten. Michael herkent de stem; het is de stem van Tubber. Meteen schiet er een andere naam door zijn hoofd: geen Tubber, maar Blubber, smerige blubber.

Hoofdstuk 9

Zwijgplicht

Tijdens de rit in de bestelauto wordt er geen woord gesproken. Michael houdt zijn oren gespitst om alle geluiden van buiten op te vangen. Geluiden die hij misschien herkent. Niets. Alleen het geronk van de zware motor trilt door alles heen. Het heeft ook geen zin om bochten te tellen, want Michael weet immers niet waar de rit is begonnen. De jongen voelt zich een beetje misselijk worden. De spanning en het hotsen en botsen zijn ook geen pretje.

Het heeft ook geen zin, denkt Michael, die vent heeft me toch gewaarschuwd. Daar was hij duidelijk genoeg in.

Dan, toch nog vrij plotseling, stopt de auto en de deuren worden opengedaan. De motor van de bus blijft draaien.

'Uitstappen', klinkt kort de stem van Blubber.

Michael staat op en wordt de auto uit geholpen door een paar gehandschoende knuisten. Michael staat te trillen op zijn benen. Hij heeft het gevoel in een draaimolen te hebben gezeten. Achter hem worden de deuren meteen weer gesloten en de auto trekt met gierende banden op.

'Die kap kan nu wel af', bromt Blubber.

Michael trekt het ding van zijn hoofd en knippert tegen het felle licht. Hij weet meteen waar hij is: op de inrit naar het handbalveld van Atomium.

'Ik denk dat je de weg naar huis zelf wel zult kunnen vin-

den? Het leek ons beter je niet vlak bij je huis af te zetten. Een kabouter met een zwarte muts zou iemand eens aan het schrikken kunnen maken.' Blubber grinnikt om zijn eigen grapje.

Michael kan er niet om lachen. 'Mag ik nu gaan?', vraagt hij.

'Van mij wel. Ik zou maar opschieten, je moeder is vast ongerust.' Weer die grinnik.

Michael draait zich om en wil hard weglopen, maar Blubber pakt hem opeens met een ijzeren greep bij zijn arm. 'We zijn toch wel duidelijk geweest?' Hij kijkt de jongen met zijn koude ogen scherp aan.

Michael knikt.

'Je zult me binnenkort wel weer ergens tegenkomen.'

Dan laat hij de jongen los en holt Michael weg.

Hij rent zo hard hij kan de Enk uit. Het is maar een paar honderd meter naar huis.

Tijdens het rennen lukt het niet goed om na te denken. Wat moet hij nou tegen zijn moeder zeggen? Als hij de bocht om gaat en het laatste stukje naar huis rent, weet hij het. Dan maar een smoes, een leugentje om bestwil.

Michael rent het grindpad op. Een laatste bocht en dan het tuinpad in. Tot zijn verbazing ziet hij dat iemand zijn fiets tegen het schuurtje heeft gezet. Dan bukt hij zich om onder de grijze container de sleutel van de achterdeur op te rapen. Zijn hart klopt in zijn keel van het rennen en van de zenuwen. Van alles.

Als de achterdeur opengaat en Michael de keuken in stapt, hoort hij op hetzelfde moment dat de voordeur wordt opengedaan.

'Michael ... ik ben thuis.'

Het is zijn moeder. Ze komt tegelijkertijd met Michael binnen en ze klinkt niet ongerust.

Michael loopt naar de gang, waar zijn moeder haar jasje aan een haakje hangt. Ze geeft Michael een kus.

'Wat ben jij warm zeg, en je hijgt helemaal. Heb je zo hard gevoetbald? Jij moet een beetje rustig doen. Heb je al gegeten? Kom gauw naar de kamer, ik moet je heel veel vertellen.'

Ze legt een arm om Michaels schouder en trekt de hijgende jongen met zich mee. Ze vertelt hem alles van haar eerste werkdag in het ziekenhuis. Een verhaal waar Michael nauwelijks zijn aandacht bij kan houden. Gelukkig vraagt zijn moeder niet wat er vandaag met Michael is gebeurd, hoe zijn dag was.

Samen eten ze wat gele rijst met schijfjes komkommer en daarna vraagt Michael of het goed is dat hij naar bed gaat.

Zijn moeder kijkt hem verbaasd aan. 'Naar bed? Ben je ziek?'

'Of moet ik je eerst nog helpen met afwassen?', vraagt Michael.

'Natuurlijk niet', antwoordt ze.

Gelukkig gelooft zijn moeder hem als hij zegt dat hij niet ziek maar gewoon erg moe is en dat hij een beetje hoofdpijn heeft.

Als Michael zich heeft uitgekleed, laat hij zich met een plof in zijn bed vallen. Onmiddellijk beginnen zijn gedachten te tollen. Alles speelt zich weer voor zijn ogen af, van het begin tot het eind. Een koude rilling glijdt over zijn rug.

Michael probeert in slaap te vallen, maar het lukt niet. Uren ligt hij wakker.

Wat willen ze van me? Wat moet ik voor hen doen? Zullen ze me echt erbij lappen en in de gevangenis stoppen? Michael heeft bij een jongen uit zijn klas een keer een film op tv gezien die ging over een gevangenis. Die jongen had er van genoten, maar Michael had zich door de afschuwelijke beelden misselijk gevoeld en was halverwege naar huis gegaan.

Door de beslagen ruiten is de maan een onscherp, wazig ding. Het lijkt wel de versleten bal van Younous, maar dan lichtgevend. Als Michael zijn ogen helemaal tot spleetjes samenknijpt, ontstaan er allerlei kleuren aan de randen. Als hij dan langzaam met zijn hoofd heen en weer gaat, veranderen die kleuren.

Het heeft vanavond hard geregend. De temperatuur is er wel een beetje door gedaald, maar in bed is het te warm voor zijn dekbed. Daarom ligt Michael onder een gekreukeld laken.

De slaap wil maar niet komen.

Hoe laat zou het zijn?, denkt Michael. Hij stapt uit bed om het licht aan te doen. Halftwee, ziet Michael.

Dan doet hij het licht weer uit en stapt terug in bed. Het bed kreunt ervan. Steeds is er hevig gekraak te horen, als hij voor de zoveelste keer op zijn andere zij gaat liggen.

Michael voelt met zijn hand aan zijn ribben. Au, dat doet pijn, die hommels hebben me ook nog een blauwe plek bezorgd.

In huis heerst nu complete rust. Zijn moeder slaapt in de andere slaapkamer. In de verte is alleen het vettige geronk te horen van de dieselmotor van een late bus.

Hoe is het mogelijk? Hoe is het mogelijk dat hij nu weer in zijn bed ligt, veilig in zijn eigen huis?

Michael kijkt voor de zoveelste keer op zijn wekker. Drie uur. Op dit moment is de zon bij opa en oma gewoon op. Ze zullen wel aan het werk zijn op het land. Kromgebogen over de roodbruine aarde die ze hun leven lang al bewerken. Misschien is opa aan het vissen. Mam heeft verteld dat ze tevreden zijn met hun schamele bezittingen, omdat ze niet méér nodig hebben. Of zouden ze, net als mam, ook vaak verdriet hebben? Het is alweer lang geleden dat ze een brief stuurden. Er stond in dat alles goed ging en dat ze veel van hen allebei hielden. Wat zou het fijn zijn om bij elkaar te zijn. Misschien, denkt Michael, misschien binnenkort. Ik doe er in ieder geval mijn uiterste best voor.

Langzaam zakken zijn ogen dicht. In het duister van zijn kamer keert eindelijk de rust in Michaels hoofd terug. Vanaf de vensterbank kijken twee kleine mensen naar de slapende jongen. Boven hen hangt een krans van wit, haast bovennatuurlijk licht. Als er langzaam een wolk voor de maan schuift, verdwijnt het licht.

Hoofdstuk 10

Bloedzuigers

'De foto's zijn klaar!'
Younous fladdert als een witte vlinder over het grasveldje
achter de Enk. Hij is zonder zijn hondje.
'Moet je kijken hoe jij erop staat. Lelijk! Het is toch
ongelofelijk hoe lelijk sommige jongetjes kunnen zijn. Ze
zouden toch niet vrij over straat mogen rondlopen. Ze
zouden de milieupolitie moeten inschakelen. Alle jongetjes oppikken van de straat die er zo uitzien.' Met een
brede smile houdt Younous met uitgestrekte arm de foto
voor Michaels gezicht. 'Wat zit jij hier eigenlijk in je eentje te doen?', vraagt hij dan.
Michaels gezicht krijgt van het een op het andere moment een sombere uitdrukking. 'Bloedzuigers vangen.'
'Bloedzuigers? Zitten die hier dan? Smerig, man.'
Younous kijkt schichtig om zich heen en speurt met een
vies gezicht naar het hoge gras.
Michael gaat op zijn hurken zitten en buigt zich voorover. Uit het smalle slootje steekt een stuk hout net boven
het wateroppervlak. Michael kan er precies bij. Met een
beetje wrikken laat de lat uit de blubberige bodem los.
Een geur van verrotting stijgt op uit het grijze water.
'Zitten daar die bloedzuigers in? In die sloot?'
Michael knikt. 'Bloedzuigers wonen waar niemand wil
wonen. Het zijn de smerigste wezens op aarde.' Michael
draait, terwijl hij het hout aan de puntige uiteinden vast-

houdt, de druipende plank op zijn kop. 'Bingo! Twee stuks, twee mannetjes', roept Michael nu met een spoor van enthousiasme. Dan legt hij de plank tussen hem en Younous neer op de grond.

Younous zit er op zijn knieën bij te kijken. Gefascineerd ziet hij hoe de beestjes, die niet meer dan een paar centimeter lang zijn, zich voortbewegen. Met hun kop lijken ze zich vast te zuigen aan het hout. Dan trekken ze krampachtig, maar toch in een vloeiende beweging, het puntje van hun achterlijf tot vlak achter hun kop. Het hele glibberige lijf staat nu in een hoefijzervorm gebogen. De staart blijft staan, terwijl de kop zich losmaakt. Dan rekt het beest zich uit naar voren. Zijn lichaam lijkt van een soort zwart elastiek. Twee keer zo ver als zijn lichaam in het begin lang was, wordt de kop weer neergezet. De bloedzuiger is twee lichaamslengtes verder gekomen.

'Wauw, ik wist niet dat ze konden lopen.'

'Lopen?', vraagt Michael.

'Nou ja, zuiglopen dan, of zoiets. Zuigen ze nu bloed uit dat hout?'

'Ja, natuurlijk', knikt Michael serieus. 'Als je goed kijkt zie je in de mondhoeken hun scherpe tanden.'

'Echt?' Younous raakt nu helemaal gefascineerd. Hij is nu zo dichtbij gekropen dat één van de beestjes op nog geen tien centimeter van zijn neus verwijderd is.

'Ze hebben het vooral op neuzen voorzien', zegt Michael nonchalant.

Met een schok schiet Younous een stuk achteruit. Hij weet niet of Michael het nu meent of niet. Aan Michaels gezicht valt niets af te lezen. Zijn gezicht staat zelfs een beetje grimmig, net of hij ergens boos om is. Younous

neemt in ieder geval het zekere voor het onzekere en
kruipt wat achteruit. Hij heeft nooit geweten dat er
bloedzuigende monstertjes in de sloot achter zijn huis
leefden. Watervampiers! 'Hoe weet je trouwens dat het
mannetjes zijn?', vraagt hij dan, terwijl hij onafgebroken
naar de beestjes blijft staren.
Michael geeft geen antwoord.
Younous kijkt omhoog en ziet dat Michael een heel andere kant uit kijkt. 'Joehoe, zijn we thuis? Mannetjes, hoe
weet je dat het mannetjes zijn?'
'Oh ja, mannetjes.' Michael kijkt nu met een afwezige
blik naar het hobbelige grasveld. Dan gaat zijn blik weer,
heel langzaam, naar de plank. 'Het zijn mannetjes, omdat
het bloedzuigers zijn. Simpel, daarom.' Zijn antwoord
klinkt kort en afgemeten.

'Maar', reageert Younous verbaasd, 'er moeten toch ook vrouwtjes zijn om eh te … eh, nou ja om te …'

'Bloedzuigers zijn altijd mannetjes. Ze zuigen net zolang tot ze er genoeg van hebben. Tot je leeg bent, tot je niets meer in je hebt. Tot ze weer een ander slachtoffer hebben gevonden.' De ogen van Michael hebben zich vernauwd tot angstaanjagende spleetjes.

Younous kijkt een beetje bang naar zijn beste vriend. 'Voel je je wel goed? Doe niet zo eng, man!'

'En dan', gaat Michael verder, alsof hij Younous niet gehoord heeft, 'blijft er een lege huls over, ziek en alleen.'

'Zo hé, hoe weet jij dat allemaal? Ik wist niet dat jij zoveel van dieren afweet. Op school heb ik daar nooit wat van gemerkt.'

Michael staart weer voor zich uit. Dan mompelt hij: 'Ik weet gewoon wat bloedzuigers doen. Hoe ze leven, wat ze kapot maken.'

Even hangt er tussen de jongens een onnatuurlijke stilte. In de verte is alleen het geluid te horen van een blaffende hond.

Younous kijkt op. Misschien is het zijn poedeltje wel.

'Zullen we verstoppertje doen?', vraagt Younous dan.

Stomverbaasd kijkt Michael Younous aan. 'Ben jij niet goed wijs of zo?'

'Wat geeft dat nou, man. Net als vroeger. Mag je in groep acht geen verstoppertje meer spelen?'

Michael grijnst een beetje schaapachtig. Dan zegt hij: 'Jij bent niet alleen klein en ondermaats, jij denkt ook zo.'

Younous kan met zijn twaalf jaar nog makkelijk in de ballenbak van McDonald's.

Michael ziet dat Younous oprecht teleurgesteld kijkt.

'Nou, vooruit dan, er zijn toch geen meiden in de buurt.'
Michael springt overeind. 'Jij bent hem en je telt eerlijk
tot honderd. En langzaam!'
Younous veert onmiddellijk op. Hij is blij dat die enge
stilte tenminste voorbij is. 'Goed, tot honderd', lacht hij
opgelucht en hij wil het mapje met foto's onder zijn koerta stoppen.
'Hé, laat me die andere foto's ook eens even zien.'
Younous begint nu van trots te glunderen. Hij voelt zich
namelijk best tevreden over zijn fotografische prestaties.
Michael bekijkt de foto's een voor een. 'Zo, deze is goed,
hartstikke scherp, man. Zo en deze en ... en moet je die
zien. Nou, jij kan er echt wat van!' Michael kijkt zijn
vriendje bewonderend aan. 'Heb jij die foto's écht allemaal zelf gemaakt?'
Younous knikt. Hij voelt zich verlegen met zoveel com-
plimenten. Thuis heeft niemand de moeite genomen om
naar zijn foto's te kijken. Onzin, hadden ze gezegd, zonde
van het geld.
Dan pakt Michael de verrotte plank van het gras en smijt
hem terug in de sloot. 'Nou, ga je nog tellen of niet? De
buut is hier.'
Michael wijst op een kromme wilg. Aan de onderkant
van de boom zijn zwarte brandplekken te zien waar ze
een paar weken geleden een vuurtje hebben gestookt.
Younous tilt zijn koerta met twee handen omhoog en legt
daarna zijn voorhoofd tegen de boom.
'Tel maar in het Engels, dat is een goede oefening voor
jou', zegt Michael met een knipoog.
'Oké. One, two, three, four, five, six, six ... eh ... Hé
Michael, wat komt er na six? Michael?' Younous vraagt

zich af of Michael in zijn zogenaamde vergeetachtigheid zal trappen. Hij draait zich met een onschuldig koppie om, terwijl Michael net een paar sprongen heeft gemaakt in de richting van de kindermanege.

Michael komt met gebogen hoofd teruggelopen en schraapt zijn keel. Dan zegt hij heel zacht: 'Even denken ... oh ja, ik weet het weer.' Op zijn allerhardst brult hij in Younous' oor: 'SEVEN, sukkel! Zo, niet meer vergeten!'

Dan rent Michael weg, terwijl Younous even wat spettertjes spuug uit zijn oren en gezicht veegt.

'Goed. Seven, eight, nine ...'

Hoofdstuk 11

In de klem

Met zijn donkere ogen door de struiken loerend ziet Michael dat Younous de verkeerde kant op loopt. Zijn schijnbeweging heeft dus geholpen. Eerst tien stampende passen in de richting van de manege, daarna superstil in tegenovergestelde richting. Michael heeft zich verstopt tussen de bosjes aan de rand van de Geitenwei. De rode kornoeljes geven een perfecte dekking.

'Zoek maar lekker, Younous', mompelt Michael. 'Nog twee minuutjes en dan tijger ik naar je toe.'

Ingespannen tuurt Michael naar zijn vriend. Dan voelt hij iets scherps onder zijn voet. Als hij zijn voet optilt, ziet hij een stuk glas uit het profiel van zijn schoenzool steken. Hij peutert het glas uit de gleuf en stampt de scherf in de zachte aarde. Michael snuift. Een smerig luchtje blijft in zijn neus hangen. Voor de zekerheid kijkt hij onder zijn andere schoen. Aan de zool van zijn linker sportschoen zit een grote, geelbruine klodder.

'Oh nee hè, hondenpoep! Al weer!'

Zachtjes loopt Michael achteruit. Oppassen voor nog meer glasscherven. Waar kun je beter hondenpoep aan afvegen dan aan stoeprandjes? Zijn moeder zegt altijd dat in hondenpoep trappen geluk brengt. Hij heeft er nog nooit iets van gemerkt, integendeel. Het stinkt, het is smerig.

De smurrie blijft aan de rand van het trottoir kleven.

Zo, denkt Michael, de rest in het gras. Goed voor de wormen.

Als Michael zich omdraait om weer naar de bosjes te lopen, valt er opeens een loeizware hand op zijn linkerschouder.

'Hoi Michaeltje, ga je even met me mee?'

Geschrokken kijkt Michael om. Hij kijkt in het grijnzende gezicht van Blubber.

'Je was onze afspraak toch niet vergeten, of wel soms', grinnikt Blubber. 'Nou, zeg je nog wat?'

'Nee, natuurlijk niet,' weet Michael uit te brengen, 'maar m'n vriendje ... we zijn ...'

'Verstoppertje aan het spelen', maakt Blubber de zin af. 'Hoe is het mogelijk, wat lief! Nou, dan kan dat lieve vriendje van jou lekker lang gaan zoeken. Hij heeft trouwens een schattig jurkje aan.'

Blubber heeft Michael ondertussen aan zijn arm met zich mee de straat in getrokken. Aan de kant van de weg staat een lichtgrijze Opel. De motor staat aan.

Michaels ogen flitsen naar de gele nummerplaten. NH-PJ-07. Onthouden, denkt hij.

Blubber opent de deur aan de passagierskant. 'Ga zitten en doe die riem om.'

'Ik mag niet voorin zitten, dat is ...'

'Dat is onzin, begrijp je! Van mij mag jij voorin. En je hoeft niet bang te zijn voor de politie. Vandaag tenminste niet', grapt Blubber met zijn ijzige lachje. Hij loopt om naar het andere portier. Opvallend lenig voor zo'n groot lijf glijdt Blubber achter het stuur.

De auto trekt met een vaart op. Michael staart strak voor zich uit. In de auto lijkt de wereld even niet meer te

bestaan. Er is niets te horen behalve de snuivende adem-
haling van Blubber. Michael voelt zich een beetje misselijk worden. Hij voelt het angstige bonken van zijn hart
weer in zijn keel en borst.

Die man naast hem is een griezel. Alles is nu griezelig.
Waar gaan ze heen? Het is gek, maar hij moet meteen aan
zijn moeder denken.

Mam had vannacht slecht geslapen. Ze wist niet zeker of
ze haar baantje zou houden.

'U wordt niet geacht met de patiënten te praten', had het
afdelingshoofd tegen haar gezegd.

Michael had zijn moeder nog nooit zo goed Nederlands
horen spreken. Ze had de hoofdzuster prachtig nage-
daan.

'Maar Michael,' had ze gezegd, 'al die zieke mensen. Zij
hebben pijn, zij zijn alleen. Zij willen zo graag dat ik een
praatje met ze maak. Ik wil ze helpen.'

'Nog één keer,' had de vrouw gezegd, 'dan kunt u thuis
weer gaan schoonmaken.'

Michael was heel boos geworden. Maar wat zou het helpen? Na dit baantje kwam er weer een ander en weer een
ander, en zijn moeder zou steeds ongelukkiger worden.
Daarom moet hij sterk zijn. Hij moet volhouden.

Plotseling remt de auto en schiet een smal weggetje in. De
auto stopt op een kleine parkeerplaats bij een vervallen
loods. Aan de deur van het grijze gebouw hangt een
bordje: *Te huur*.

Michael denkt dat ze hier uit zullen stappen en wil de
deur open doen.

'Zitten blijven!', beveelt Blubber. Hij maakt zijn autogor-
del los en draait zich dan om naar Michael. Een paar

seconden blijft hij Michael met ijskoude ogen aanstaren zonder iets te zeggen. Dan gaan zijn lippen langzaam van elkaar. 'Ben je er klaar voor?'

Even blijft het stil.

'Nou? Ik vraag je wat!'

'Waarvoor?', antwoordt Michael zacht.

Blubber steekt zijn hand in zijn binnenzak. Hij haalt er een glimmende envelop uit. 'Luister goed. We hebben een afspraak. Jij kent die afspraak. Jij doet iets voor ons, wij doen iets voor jou.'

Een koude rilling glijdt over Michaels rug. Wat gaat er gebeuren?

'Vandaag precies over twee weken mag jij een klusje voor ons opknappen. Kijk maar eens goed naar deze foto.'

Michael kijkt in het gezicht van een man met dik, grijs, achterovergekamd haar. Het is een streng kijkend gezicht met een grote, scherpe neus onder enorme wenkbrauwen. Een litteken of een soort wijnvlek tekent zich af op zijn rechter wang.

Blubber laat nog een aantal foto's zien van dezelfde man, steeds vanaf een andere kant genomen. Het valt Michael op dat de man op de foto nooit lacht.

'Wie is dat?', vraagt Michael.

'Dat is de minister van Buitenlandse Zaken.'

'Heh?'

'Van Joegoslavië, of wat daar nog van over is.'

'Maar waarom laat u mij die foto's zien?'

'Goede vraag, Michael.' Blubber wijst met zijn dikke vinger naar een van de foto's. 'Onthoud dit gezicht. Het is een duur en belangrijk gezicht. Heel waardevol voor sommige mensen. Het is jouw volgende slachtoffer!'

'Een minister rollen? Ik? Maar …', zegt Michael geschrokken.

'Koud kunstje voor jou, toch. We hebben je bezig gezien, je bent erg goed.' Blubber praat met zijn gemene, sarcastische toontje.

'Maar waarom? En wat moet ik dan rollen? Zijn portemonnee? Ik snap er niks van.'

Nu gaat Blubber weer op een zoetsappig toontje verder: 'Kalm maar baasje, ik ga het je uitleggen. Ik vertel het maar één keer, dus luister goed. Over twee weken komt deze "heer", met een heel moeilijke naam, naar Rotterdam. Culturele Samenwerking en nog zoiets. Hij is een belangrijke gast van, schrik niet, onze koningin zelf.'

Michaels oren en wangen voelen nu gloeiend aan. De koningin!

'Die minister moet op zijn reisje natuurlijk ook net doen of hij andere mensen, en helaas ook kinderen, aardig vindt en interessant. Daarom brengt hij ook een kort bezoek aan het Hofplein Jeugdtheater. Dat staat leuk. Veel pers en veel fotografen, daar zijn die politici dol op. Maar in werkelijkheid …' Blubber haalt met een slobberig geluid zijn neus op en spuugt iets door het geopende raampje naar buiten. 'In werkelijkheid komt hij natuurlijk voor iets heel anders, maar daar heb jij verder niks mee te maken.'

'Maar, maar …', stottert Michael, 'wat moet ik dan doen?'

'Tja, wat moet jij doen. Iets simpels, iets waar jij heel goed in bent.'

Dit kan toch niet waar zijn, denkt Michael.

'In de linkerzak van zijn jas heeft die man, die minister,

iets zitten. Laten we zeggen een soort cd-rom. Die moet jij te pakken krijgen, die cd-rom wil ik hebben.'

De rode kleur op Michaels wangen is veranderd in een vaalgele teint. Hij is nog nooit zo bang geweest. Het lijkt wel of hij de stem van Blubber vanuit een andere wereld hoort. Hij ziet het allemaal al voor zich. De koningin, een minister, belangrijke mensen en veel kinderen. Agenten met onderzoekende ogen, die iedereen in de gaten houden. Mannen met lange regenjassen aan en een oortelefoontje in, die bij het minste of geringste hun pistolen tevoorschijn halen en zullen schieten.

Het lijkt wel of Blubber gedachten kan lezen. 'Op het moment dat jij je werk moet doen, is het gemakkelijker. Er is dan namelijk niet veel bewaking. Ze willen niet dat kinderen bang worden als ze op bezoek komen in de schouwburg. Lief, vind je niet?'

De uitleg van Blubber lijkt voor Michael wel een eeuwigheid te duren. Het duizelt hem in zijn hoofd. Blubber vertelt alle details. Waar hij precies moet staan, hoe laat hij aanwezig moet zijn en bij wie hij zich vooraf moet melden als een van de uitgenodigde kinderen.

'Hier heb je je pasje, anders kom je er niet in.'

Hij geeft Michael een soort bankpasje in vrolijke kleuren: rood, wit en blauw. Aan de voorkant herkent Michael meteen zijn eigen gezicht.

Hoe komen zij aan die foto, denkt Michael.

Alles staat erop, ook een adres met een huisnummer.

'Maar dat is niet mijn adres', reageert Michael.

'Natuurlijk niet, je weet maar nooit. Ze hoeven toch niet echt te weten waar je woont, of wel soms?'

Michael knikt gedwee.

Blubber snuift. Hij ruikt opeens een vieze lucht, maar hij negeert het en praat gewoon verder. 'Dit pasje heb je dus nodig om binnen te komen. De rest heb ik je verteld. Weet je alles nog?'

Michael knikt weer.

'Goed, laat maar horen.'

Michael herhaalt de instructies als een robot. Hij maakt geen fouten.

'Uitstekend, je leert snel.'

'Maar hoe weet u nu eigenlijk dat die man die cd-rom bij zich heeft en dat hij niet in zijn rechterzak of in zijn kontzak zit?'

'Mensen in ons beroep horen alles te weten. Die minister is zo voorspelbaar als wat. Hij vertrouwt niemand, behalve zichzelf. En hij heeft een tic.' Blubber haalt zijn neus nog maar eens op.

Michael kijkt niet-begrijpend.

'Die vent doet altijd alles hetzelfde. Vaste gewoontes. En links heeft zijn voorkeur, altijd alles links.' Blubber grijnst. 'En nu het belangrijkste!' De dikke wijsvinger van de man naast Michael port hard tegen Michaels borst. 'Dat wat jij gaat rollen, willen wij heel graag hebben, onmiddellijk! Om drie uur is jouw klusje geklaard. Om kwart voor vier zien we jou onder de Feyenoordbrug, recht tegenover de Odiliaschool. Daar staat dan een donkerblauwe wagen. Die herken je wel. Zorg dat je op tijd bent.' De wijsvinger heeft zich teruggetrokken, maar komt nu samen met de middelvinger als een schaar naar voren. De twee vingers grijpen samen met een grote duim de smalle kin van Michael beet.

'Au', roept Michael.

'We hebben je in de klem, Michaeltje. Zorg dat je slaagt.'
Dan start Blubber de motor en rijdt met slippende banden achteruit.
Er wordt geen woord meer gesproken. Michael staart strak voor zich uit.
Het is stil op straat. De huizen lijken hun adem in te houden. Misschien wel vol ontzag voor die kleine jongen die zo'n gevaarlijke opdracht moet uitvoeren.
De voeten van Michael schuifelen onrustig over de vloer van de auto. Hij kan niet meer stilzitten.
Honderd meter van de plaats waar ze een halfuur geleden zijn ingestapt stopt de auto.
Nu klinkt de stem van Blubber weer bekend en dreigend: 'Uitstappen! Nogmaals: zorg dat je slaagt.'
De vingers van Blubber schieten weer als een toehappende slang naar voren, maar Michael springt bliksemsnel uit de auto.
'Oh ja, Michael, die nummerplaten van mijn auto, waar je daarstraks naar keek, zijn niet van mij. Ik heb ze even geleend van de auto van jouw overbuurvrouw, maar ik zal ze eerlijk terugbrengen.'
Dan stuift de auto ervandoor.
Michael staat nu doodsbleek langs de stoeprand. Zijn hoofd gonst. Sterretjes en vreemde gekleurde figuurtjes dwarrelen voor zijn ogen.
'Michael, hé Michael, waar was je nou, sukkel?'
De stem van Younous laat Michael wakker worden uit zijn nachtmerrie. Voor even, want op hetzelfde moment gaat de kwade droom verder als Younous zegt: 'Wie was die griezel in die auto waar jij mee praatte?'
Een nieuwe golf van angst en paniek stroomt door

Michaels lijf. Zijn schouders gaan schokkerig op en neer.
Dan kijkt hij zijn vriendje aan.
'Blubber.'
'Blubber?'
'Ja, Blubber. Stinkende, gore blubber.'

In de grijze Opel zit Blubber met zijn eeuwige grijns te
genieten van de ontmoeting met die kleine snotaap. Hij is
op weg naar het hoofdkwartier. De chef zal tevreden zijn.
Met zijn rechterhand knijpt hij even in zijn vettige paardenstaartje. Dan verstrakt zijn gezicht. Zijn dikke neus
begint vervaarlijk te snuiven.
'Wat stinkt hier nou in vredesnaam toch zo?', zegt hij
hardop.
Dan ziet hij bruine strepen op de beige automat, op de
plaats waar Michael met zijn voeten heeft gezeten. Geelbruine strepen hondenpoep. Michael heeft zijn schoenen
netjes schoongeveegd aan de nieuwe automatten van
Blubber.
De geur is verschrikkelijk. Het humeur van Blubber plotseling ook.

Hoofdstuk 12

Niet meer alleen

In het schemerdonker van het schuurtje ligt een stapel portefeuilles naast een oude agenda.

'Ik kan het nog steeds niet begrijpen. Ik bedoel, heb jij die allemaal gepikt?'

Michael zwijgt, maar kijkt Younous met zijn bruine ogen strak aan. Het lijkt wel of hij heel ergens anders is met zijn gedachten.

'Waarom, Michael? Waarom heb je dat gedaan?'

Michael zegt nog steeds niets.

'Je bent rijk man, hartstikke rijk.' Younous pakt een grijze portefeuille en klapt hem open. 'Zullen we snoep gaan kopen?', lacht Younous. 'Geld genoeg.'

Meteen grist Michael de portefeuille uit Younous' handen. 'Nee!'

'Oké man, ik maakte maar een grapje, het is allemaal van jou. Hoewel ... Ik begrijp jou echt niet, ik had nooit gedacht dat jij ... Eigenlijk vind ik het ...'

'Hou nou even je mond, dan zal ik je ...'

Opeens klinkt er buiten een bekende stem.

'Younous, ben je hier? Younous!'

'Mijn zusje zoekt me. Ik had beloofd de lekke band van haar fiets te plakken. Helemaal vergeten', fluistert Younous.

'Ssssttt, hou nou je mond', sist Michael.

Toen Michael een uurtje geleden door Younous werd geroepen, spookte alles door zijn hoofd. De nachtmerrie, de ontvoering, de zwarte kap. Het gesprek in de donkere ruimte, knipperend tegen het felle licht. De gedachte dat hij zijn moeder voor heel lang niet meer zou zien en dat zijn plan niet door zou gaan. De dreiging om in de gevangenis te komen. De dreiging dat zijn moeder alles te weten zou komen. Dan zou alles voor niets geweest zijn. De schaamte en de angst tegelijk. Het stelen van de portefeuilles in het drukke winkelcentrum. Het wachten op de mannen in de dure BMW's in de parkeergarage. De mannen. Geen Thailand, geen nieuwe toekomst voor zijn moeder en hem.

Toen knapte er iets in hem. Eerst heeft hij wel tien minuten gehuild. Younous had hem meegetrokken naar de bosjes achter de Geitenwei. Younous had gezegd: 'Wat is er nou man, wat is er gebeurd? Heeft die vent soms met zijn vingers aan je gezeten? Nou, die rotzak is er mooi bij, man. Ik heb zijn auto gezien en zijn nummerplaten zitten hier.' Daarbij had hij naar de zijkant van zijn hoofd gewezen. 'NN-JP-07, of zoiets, makkelijk nummer. We gaan naar de politie, man.'

Michael had alleen maar gesnikt.

'Zal ik je moeder halen? Hé Michael, zal ik …'

'Nee,' had Michael gezegd, 'even wachten.' Met de mouw van zijn jack had hij de tranen en het snot zo goed mogelijk weggeveegd. 'Kun … kun jij een geheim bewaren?'

'Een geheim? Van die viezerik een geheim maken? Kom nou, de politie moet het weten!' De kleine Younous had met zijn hand een snijdende beweging over zijn keel gemaakt.

'Stil nou even, Younous!'

'Oké, ik ben stil, Younous zal luisteren. Spreek, groot opperhoofd. Mij zwijgen.'

'Ik meen het echt, het is een groot geheim.' Michael had nog nooit eerder zo serieus tegen zijn vriendje gepraat. 'Niemand weet het, maar ik denk dat ik jou kan vertrouwen.'

Toen had Michael zijn vriend meegenomen naar het schuurtje. Hij had onderweg niets meer gezegd.

Younous kijkt weer naar de stapel portefeuilles. Hij vindt zichzelf echt geen brave hendrik, maar wat zijn vriendje Michael nu heeft gedaan, gaat zijn pet te boven. Het geeft hem ook beslist geen fijn gevoel. Hij kan het eigenlijk niet geloven. Michael was in zijn ogen altijd een toffe vriend,

die je door dik en dun kon vertrouwen. Maar nu ... Hij
schraapt zijn keel: 'Maar Michael ...'
Direct legt Michael een hand op zijn schouder. Hij kijkt
zijn vriend aan en lacht een beetje verlegen. 'Ik weet wat
je vragen wilt. Ik zou dezelfde vraag voor jou hebben als
jij me dit hier had laten zien', zegt Michael. 'Je wilt weten
waarom ik dit doe.'
Younous knikt. 'Het is zo veel', mompelt hij. 'Ik bedoel,
moet je nou eens kijken ...' Hij tilt een stapeltje bankbiljetten op en legt het daarna weer op de vuilniszak.
'Ik zal het je vertellen, maar je moet zweren dat je het aan
niemand vertelt! Zweer je dat?'
'Ik zweer het', zegt Younous plechtig. Hij steekt zijn rechtervuist omhoog en strekt zijn wijs- en middelvinger in
een V-vorm vlak voor zijn mond.
'Niet spugen!', roept Michael meteen. 'Dat brengt ongeluk. Zweer op iets heel belangrijks.'
Younous kijkt nu heel serieus. 'Ik zweer het op ... op
mijn hond.'
'Dat is goed, op je hond telt. En nou luisteren.'
Met een steeds verder open zakkende mond hoort
Younous het hele verhaal aan, van het begin tot het eind.
Michael vertelt hem ook het belangrijkste: hij vertelt
Younous waarom hij zakkenrolt. Meer dan een kwartier
is Michael aan het woord. Hij vertelt ook hoe hij weken-
lang geoefend heeft op de paspop die hij gewonnen had
op het feestje van Simon.
Younous glimlacht. Hij was zelf ook een paar keer door
Michael zijn sleutelhanger kwijtgeraakt, maar hij had
hem altijd weer teruggekregen.
Terwijl Younous luistert, krijgt hij steeds meer respect

voor zijn vriendje. Hij begrijpt nu dat het zakkenrollen niet bedoeld is om rijk te worden of andere mensen iets aan te doen. Het heeft met zijn familie te maken.

Dan vertelt Michael wat er in de afgelopen weken is gebeurd. Over zijn ontmoeting met Blubber, over de sportwinkel en het koffertje, over de ontvoering en het gesprek in de donkere kamer, over de baas van Blubber achter de microfoon en over de anderen. Dit is allemaal veel moeilijker om te vertellen. Michael heeft telkens het gevoel dat hij moet huilen. Hij is ook zo boos en bang tegelijk.

'Ik begrijp het wel,' knikt Younous, 'dit is niet normaal meer.'

Michael vertelt van zijn moeder, die steeds maar weer een ander baantje moet aannemen. Dat ze steeds ontslagen wordt buiten haar schuld en dat ze zo graag haar best wil doen. 'Mijn moeder is een echte lieverd. Ze mist haar ouders en ik moest iets doen.'

Younous knijpt zijn ogen samen en piekert zijn hersens tot in de uiterste puntjes af. 'Misschien kunnen we daar ook wel iets op verzinnen', onderbreekt hij Michael.

'We?', vraagt Michael verbaasd.

'Ja, we. Van nu af aan doe ik met je mee. Ik ga je helpen.'

'Dat kan niet. En misschien hoeft het ook wel helemaal niet meer. Kijk', zegt Michael. Michael schuift een ver-kreukelde envelop opzij. 'Hier mag je nooit aankomen, alleen in noodgevallen.' Dan laat hij Younous zijn oude agenda zien. 'Dit heb ik nu en ik denk dat het genoeg is.'

Younous ziet het bedrag dat Michael in zijn boekje heeft opgeschreven. Het is een enorm getal van vier cijfers en nog wat achter de komma.

'Trouwens ...' Even houdt Michael zijn adem in. Hij moet voortdurend alert blijven op verdachte geluiden, maar het is doodstil in en om het schuurtje. 'Ik kan het niet meer doen. Die man die jij daarstraks hebt gezien, dat is Blubber en ...' Dan vertelt hij over de bedreiging en wat Michael moet gaan doen om niet de gevangenis in te hoeven.

Younous slaat zowat steil achterover als hij hoort wat de opdracht is die Michael moet gaan uitvoeren.

'Kanonnig hé, dat is niet normaal, man. Zijn ze nou helemaal gek geworden? Dat is gewoon bagage!'

'Chantage, bedoel je zeker? Ja, daar lijkt het wel op', zegt Michael.

Younous zwijgt. Zo'n verhaal zie je nog niet eens op de tv en zojuist heeft zijn vriendje verteld dat het allemaal echt is en dat hij meedoet in dit alles. Hier in Vreewijk in Rotterdam-Zuid.

Plotseling klinkt er een onheilspellend rommelend geluid.

'Wat is dat?', zegt Younous, terwijl hij overeind springt.

'Niks aan de hand, joh,' antwoordt Michael, 'mijn maag laat zich alleen maar horen. Ik heb sinds vanmorgen nog niets gegeten. Ik denk dat we maar eens naar binnen moeten om een hapje te gaan eten. Zie ik je morgen weer?'

'Morgen en overmorgen en de dag daarna, tot je me spuugzat wordt.'

'Bedankt, Younous.'

'Niks te danken, man. 't Is niet te geloven, mijn beste vriend gaat werken voor de AIVD.'

'AIVD?'

'Ja, je vertelde toch dat ze voor de veiligheid van ons land werkten en dat ze contact hebben met de politie? Dat moet de Algemene Inlichtingen- en Veiligheidsdienst zijn.' Younous glundert van trots over zijn eigen wijsheid. 'Ja, inderdaad,' zegt Michael, 'de AIVD. Het lijkt wel een vloek en zo voelt het ook.'

Hoofdstuk 13

Een idee

Die nacht en de nachten erna kan Michael nauwelijks in slaap komen. Hij ligt maar te woelen in zijn bed. Gedachten tollen door zijn hoofd en als hij soms voor een paar minuten in slaap valt, wordt hij kort daarna weer wakker, badend in het zweet. Achtervolgd in een nachtmerrie, door Blubber en de geheimzinnige man die achter een verblindend licht tegen hem praat.

Ook overdag gaat de tijd kruipend voorbij. Soms lijkt het of Michael stemmen hoort in zijn hoofd. Vooral die mechanische stem van de onbekende man spookt maar rond in zijn gedachten. Waar kent hij die stem toch van?

Er is zo veel om over na te denken en er gaat zo veel gebeuren. Gelukkig heeft hij Younous nu alles verteld.

'Gedeelde smart is halve smart', zegt zijn meester wel eens in een poëtische bui. Maar dan gaat het over te veel onvoldoendes bij een moeilijke geschiedenisrepetitie. Dit is wel even wat anders.

Michael ligt op zijn rug in het gras. Hij kijkt naar de wolken, die snel voorbij drijven.

Ik wou dat ik met jullie mee kon, denkt Michael. Waar zouden jullie me naartoe brengen? In ieder geval naar een plaats waar het veilig is en waar geen Blubbers of andere griezels je onverwachts in je kraag kunnen grijpen.

Klik klak!

Het is alsof Michael door een reuzenwesp wordt gesto-
ken. Hij schiet in één sprong overeind.

'Ik moest even een plaatje schieten van dit stilleven',
grijnst Younous.

'Doe dat nooit meer!', hijgt Michael.

'Wat?'

'Je moet me niet besluipen. Je liet me bijna doodschrik-
ken.' Michael laat zich met een zucht op zijn knieën zakken.

'Sorry', mompelt Younous. 'Is er iets?'

'Nee, er is niets, alleen over een paar dagen sta ik voor de
koningin van Nederland en bij de een of andere halfgare
minister uit Joegodinges en moet ik de slag van mijn
leven slaan, terwijl de halve Rotterdamse politiemacht op
de been is. Nee, verder gaat het wel goed. Ik heb gisteren
nog een bordje gestoomde rijst gehad met drie sliertjes
prei.'

Michaels woorden komen als een snelle stroom uit zijn
mond, terwijl zijn ogen woedend heen en weer schieten.
'Oh ja, dat is waar ook: mijn moeder is weer ontslagen.
Precies zeven dagen heeft ze in het ziekenhuis mogen
werken. "Mevrouw, u babbelt te veel, al kunnen wij het
bijna niet verstaan. Daar wordt u niet voor betaald." Het
afdelingshoofd was niet om te praten, ook niet toen een
van de patiënten had gezegd dat ze het juist zo fijn vond
dat er eens iemand een praatje met haar maakte. Ze zei
dat een lief woordje je soms sneller beter kon maken dan
een handvol tabletten. "Als u wilt praten, doet u dat
maar met uw vriendinnen in uw eigen tijd." "Goed
mevrouw," had mijn moeder gezegd, "ik zal met mijn
vriendinnen praten. Thuis bij de thee."'

Michael spuugt de woorden uit en trekt uit woede stukken gras uit de grond.

'Maar mijn moeder heeft geen vriendinnen, niet hier in Nederland tenminste. De meeste mensen kijken haar niet eens aan.'

Het poedeltje van Younous is bij Michael op schoot geklommen en vindt iets zouts op zijn wang, iets nats.

Het is even stil.

'Ik heb een plan, of eigenlijk een idee', zegt Younous dan opeens.

'Wat bedoel je?'

'Ik bedoel dat ik een idee heb om ervoor te zorgen dat jij misschien ...' Younous is vlak naast het oor van Michael gekropen. 'En dan zal ik ervoor zorgen dat ik ...'

Een voorzichtig glimlachje verschijnt op Michaels gezicht. 'Jij hebt er echt over nagedacht, hè Younous? Dit is helemaal niet zo'n slecht idee van jou. Eigenlijk hartstikke goed, man. Hoe kom je erop.'

'Ze zeggen dat meisjes nu eenmaal slimmer zijn dan jongens, begrijp je wel.' Younous draait een pirouette waarbij zijn koerta vrolijk ronddraait rond zijn dunne benen.

'Dus je weet zeker dat je meedoet?', vraagt Michael.

'Had je daaraan getwijfeld dan?', piept Younous met de stem van zijn zusje.

'Nee, eigenlijk niet.'

'Kom hier met je oor', zegt Younous, terwijl hij naast Michael gaat zitten.

Michael buigt zich voorover naar zijn vriend en Younous begint weer te fluisteren.

'Hé, niet spugen, dat brengt ongeluk!'

Een kwartiertje later lopen twee jongens naast elkaar door de straten van Rotterdam-Zuid. Het lijkt wel of ze vandaag allebei jaren ouder geworden zijn.

Younous heeft zijn koerta in een prop in zijn rugtas gedaan.

Het duurt nu nog maar een paar dagen.

Hoofdstuk 14

Schoensmeer en zwarte vegen

'Moet je kijken, heb je ooit zoiets gezien?' Younous wijst naar de enorme fontein in het midden van het drukke Hofplein. 'Zou dat limonade zijn? 't Is oranje!'
'Natuurlijk niet, sukkeltje, ze hebben gewoon een berg kleurstof in het water gedaan. Anders zat half Rotterdam hier nu sinas te drinken.'
De stem van Michael klinkt geïrriteerd. Logisch; hij is ontzettend nerveus. Vandaag moet het gebeuren.
De afgelopen dagen hebben Michael en Younous hun plan steeds weer opnieuw besproken. Dat hielp in ieder geval om de tijd door te komen. Van Blubber heeft Michael niets meer gehoord, ook al had hij steeds het gevoel die vent overal tegen het lijf te kunnen lopen.
'Ik wil toch even proeven', zeurt Younous.
'Je gaat je gang maar, ik loop door. Ik mag niet te laat komen.'
Terwijl ze langs het drukke, chaotische verkeersplein het ene na het andere verkeerslicht passeren, kijkt Younous nog een keer achterom.
Een oranje fontein. Waarom eigenlijk?, denkt hij.
Alsof Michael zijn gedachten kan lezen zegt hij: 'Wat ze allemaal niet verzinnen om zo'n buitenlandse minister een plezier te doen.'
''t Zal meer voor de koningin zijn', bedenkt Younous.
'Kan ook, wijsneus', bitst Michael.

Dan stokt het gesprek weer.

Younous heeft Michael nog nooit zo meegemaakt. Sinds ze met de tram zijn vertrokken heeft hij Michael nog niet één keer zien lachen. Hij heeft de hele weg strak voor zich uit gekeken. Younous heeft wel geprobeerd om Michael aan het lachen te krijgen. Hij heeft hem twee nieuwe moppen verteld, maar nog geen glimlach is er op Michaels gezicht verschenen. Younous is ook wel nerveus, maar Michael heeft het helemaal niet meer.

Het was ontzettend druk in de tram. Allemaal mensen die op weg waren om een glimp van de koningin op te vangen. Kinderen en volwassenen met vlaggen in rood, wit en blauw stonden als harinkjes in een ton op elkaar geperst.

De jongens steken nog een drukke weg over. Overal om hen heen krioelt het van de mensen. Het lopen wordt steeds moeilijker, omdat hele hordes zich verdringen achter dranghekken en zo de doorgang versperren. Er zijn toeschouwers bij die op klapstoeltjes zitten en koffie drinken uit hun meegebrachte thermoskannen. Ze willen straks allemaal de koningin zien en die minister en al die andere belangrijke mensen. Om de paar meter staan gewapende politieagenten opgesteld.

Michael krijgt steeds meer pijn in zijn buik. Hij kijkt naar zijn handen. Zijn vingers trillen. 'Ik denk dat ik maar beter alleen verder kan lopen. Het is beter dat ze jou niet bij mij zien. Ze zullen me vast wel in de gaten houden.'

Younous kijkt zijn vriend van opzij aan.

Schuin tegenover hen ligt het Hofpleintheater. Op het dak wapperen tientallen vlaggen.

'Goed', zegt Younous.

'Wat ga je nu doen?', vraagt Michael.

'Een stukje achter jou lopen.'

'En dan?'

'Dan ga ik bij de andere koekeloerders staan.'

'Wat?'

'Nou, ik wil de koningin ook wel eens in het echt zien. Op een euro is ze best een echte dame.'

'Je meent het?'

'En die minister.'

'Je mag wel in mijn plaats naar binnen gaan. Lekker dichtbij, kun je het nog beter zien.'

'Zo dichtbij hoeft nou ook weer niet', lacht Younous. 'En trouwens, jij hebt daarbinnen toch nog wat te doen.'

'Tot straks,' zegt Michael zacht, 'hoop ik.'

'Succes, Maikie, ik wacht op je.'

Michael stapt nu nog vlugger door. Hij wringt zich langs de toeschouwers en steekt ondertussen zijn hand in de zak van zijn smoezelige jasje. De mensen letten niet op de scheuren in zijn broek en de vieze vegen op zijn gezicht. Hij vindt het plastic pasje.

Hoe dichter hij bij het jeugdtheater komt, hoe drukker het wordt. Vrolijke muziek schalt uit luidsprekers die overal zijn opgehangen.

Blubber heeft verteld dat Michael niet door de hoofdingang naar binnen moet. 'Let op de genummerde borden. Volg de borden waar een drie op staat', had hij gezegd.

Onder aan de voet van de hoge trap die naar de hoofdingang leidt, ziet hij de eerste drie op een oranje bord. Hij moet naar rechts.

Na zo'n tien meter gelopen te hebben, ziet hij het al. Aan de zijkant van het gebouw staan wel zo'n twintig agenten met strenge gezichten. Een rij kinderen staat geduldig te wachten om door een smalle, door hekken gevormde doorgang naar binnen te mogen. Michael ziet dat alle pasjes nauwkeurig worden gecontroleerd. Het zweet breekt hem opeens uit. Hij trekt zijn jack uit en propt het onder zijn arm.

Zal ik teruggaan, nu kan het nog. Misschien loopt het allemaal niet zo'n vaart, denkt Michael. Maar dan ziet hij in gedachten het gezicht van zijn moeder voor zich. Ze staat bij de verveloze voordeur. Een agent vertelt haar dat zojuist haar enige zoon is gearresteerd wegens zakkenrollen. Er hangt hem een lange en zware straf boven het hoofd, vertelt de agent. Zijn moeder barst in tranen uit.

Dan ziet Michael dat er nog maar twee kinderen met hun moeder voor hem staan. De rij achter hem is enorm aan-

gegroeid. De weg terug is afgesloten.

'Bedankt, noodlot', zegt hij in zichzelf.

Michael is aan de beurt. Hij geeft zijn pasje aan een nors kijkende agent.

'Zo Michael, ook optreden vandaag?', vraagt de man, terwijl hij nauwkeurig het pasje bestudeert. 'Doe je best, jongen. De koningin is een echte kunstkenner.'

Voordat Michael antwoord kan geven, duwt de man het pasje terug in zijn handen. 'Je kunt doorlopen.'

Gelukkig maar dat hij geen antwoord hoefde te geven. Hij had waarschijnlijk geen woord uit kunnen brengen.

Michael kijkt op zijn horloge. Het is bijna één uur. Over een uurtje zal het gezelschap arriveren. Ze zullen dan in de theaterzaal een korte voorstelling bijwonen van de toneelgroep. Michael heeft er zelf geen idee van wat de koningin en haar gasten te zien zullen krijgen. Hij is nog nooit bij een toneelvoorstelling geweest. Zijn moeder heeft geen geld voor zulke uitjes.

Thuis heeft Michael nagedacht over wat hij hier in de tussentijd moet gaan doen. Echt goede ideeën zijn hem niet te binnen geschoten. Maar tegen drie uur is het tijd voor zijn eigen optreden. Er zal veel publiek bij aanwezig zijn, maar het is juist niet de bedoeling dat er echt op hem gelet wordt. Urenlang heeft hij zitten denken over een goede strategie.

Gelukkig had Younous een heel aardig plan. 'Ze gaan een toneelstuk spelen van de een of andere Charlie Dickens. Het speelt in de vorige eeuw. Er doen allemaal arme kinderen in mee die mishandeld en gebruikt worden. Kinderen die moeten werken voor de een of andere oude, gemene vrek. Ze krijgen er niets anders voor terug dan een beetje eten en vaak ook een pak slaag. Ze moeten bedelen en zelfs zakkenrollen.' Even had hij Michael aangekeken met zijn bekende knipoog. 'Nou, als jij dan ...!' Het plan had een kans van slagen. Maar als het niet zou lukken, wat dan? Hij zou maar één kans krijgen. Die moest worden benut.

De ruimte waar Michael nu staat gonst van de stemmen van de kinderen en hun meegekomen ouders. Vaders staan hun kroost moed in te spreken en moeders leggen de laatste hand aan de kostuums. Het valt hem ook op dat hier helemaal geen politieagenten te zien zijn. Tenminste niet in uniform.

Michael krijgt van een vriendelijke mevrouw een flesje cola in zijn hand geduwd. Van iemand anders krijgt hij een zakje chips. Hij ziet geen bekende gezichten. Er is ook niemand die hem aanspreekt en dat komt hem goed uit.

Kwart over één.

Michael kijkt wat in de vitrinekasten. Er staan allerlei vreemde voorwerpen in opgesteld. Hij heeft geen idee wat ze voorstellen. Het zal wel kunst zijn.

Halftwee.

Michael neemt een kijkje in de toneelzaal. De helft van de vrolijk gekleurde stoelen is al bezet door vaders en moeders en wat opa's en oma's.

Hij staat een poosje te kijken naar een meneer die voortdurend op zijn nagels zit te bijten. Die man is ook behoorlijk zenuwachtig, zo te zien. Zijn zoon of dochter moet straks vast een hoofdrol spelen. Gelukkig hoeft Michael zich geen zorgen te maken om zo'n zenuwpees van een vader. Zijn vader maakt zich waarschijnlijk nooit ergens zorgen om en zeker niet om zijn zoon. Zou zijn vader ooit nog wel eens aan hem denken? Natuurlijk niet, stomme vent. Waarom heb je ons in de steek gelaten? Waarom heb je mam zo verdrietig gemaakt? Had je dan niet wat geld voor ons achter kunnen laten? Volgens mam was je best rijk. Kijk nu eens waar ik ben, wat ik aan het doen ben. Ik wil dit eigenlijk helemaal niet. Michael veegt een traan uit zijn ooghoek en draait zich meteen om. De mensen mogen hem niet zien huilen.

Tien voor twee.

Opeens ontstaat er opschudding in de hal van het theater. 'De koningin komt eraan!', roept iemand.

Een onzichtbare tennisbal knalt met een enorme vaart in Michaels maag. Tenminste, zo voelt het. De zenuwen gieren door zijn keel.

Niet in de zaal gaan zitten, denkt hij. Trek je terug op het toilet en blijf daar. Niemand zal op je letten, iedereen is in de zaal. Wacht tot kwart voor drie en ga dan halverwege de gang staan, achter een vitrine.

Michael hoort de instructies van Blubber, ondanks het suizen in zijn oren, weer overduidelijk in zijn hoofd. Hij heeft die zinnen al zo vaak in gedachten herhaald.

Michael schuifelt in de richting van de toiletten. Een plek waar hij zich op dit moment in ieder geval thuis zal voelen, want hij heeft nog steeds zo'n pijn in zijn buik.

Als Michael de deur achter zich dicht trekt en het knipje omdraait, hoort hij in de verte een heleboel gejuich. Muziek schalt uit de luidsprekerboxen. Het klinkt allemaal heel erg vrolijk.

Weer gejuich. De koningin is binnen. Er wordt hard gezongen en geklapt, maar Michael houdt zijn mond.

Even later wordt het stil. Alleen het druppen van een niet goed dichtgedraaide kraan is te horen.

Met zijn broek op zijn schoenen zit Michael te trillen op de wc-bril. De rol wc-papier wordt steeds korter. Hij wist niet dat pijn in je buik zo vervelend kan zijn. Om de minuut kijkt hij op zijn horloge.

Tok tok!

Een harde klop op de deur.

'Hallo, is hier iemand, hallo.'

'Ja', kreunt Michael zachtjes. Hij is zich rot geschrokken. Wie staat daar aan de andere kant van de deur? Hebben ze iets in de gaten?

'Gaat alles goed met je?', hoort hij dan een vrouwenstem vragen.

'Ja hoor, een beetje pijn in mijn buik', antwoordt Michael zonder te liegen.

'Weet je zeker dat alles goed gaat? Moet ik soms iemand waarschuwen?'

'Nee hoor, bedankt.'

'Nou goed dan, dan ga ik ook maar eens kijken naar de koningin.'

Michael hoort de vrouw wegsloffen. Opgelucht haalt hij adem. Tijdelijk is het gevaar geweken.

'Oh ja,' hoort hij dan de stem, die plotseling weer terug is, 'zul je wel doortrekken? 't Is hier een nette bedoening, hoor je.'

Michael geeft geen antwoord. Dan is het weer stil.

Michael kijkt weer op zijn horloge. Het is tien over twee. Hij trekt door en hijst zijn broek op. Dan gaat hij maar weer zitten. Hij kan nergens anders heen. Om de tijd te doden vouwt hij elf bootjes van wc-papier en wacht.

Na zevenentwintig tergend lange minuten is het eindelijk tijd. Hij trekt de papieren bootjes door en wrijft daarna zijn haar nog eens flink door de war. Als hij de wc-deur achter zich gesloten heeft, kijkt hij in de spiegel boven de wasbakken. Hij kijkt naar een bekend gezicht: zijn eigen lichtbruine gezicht waar nu zwarte strepen over lopen.

Als Michael de hal weer in loopt, hoort hij vanuit de theaterzaal harde muziek. Zware, eentonige bastonen en de stemmen van twee rappers, die hun teksten opdreunen. Dan klinkt er een daverend applaus, dat overgaat in zachtere muziek.

Michael heeft geen zin meer om nog langer te luisteren. Hij is zo zenuwachtig, hij kan niet stil blijven staan. Het liefst zou hij gaan rennen. Stomweg hard weglopen, rennen, rennen ...

Hij schuifelt de verlaten hal in. Als alles goed gaat nog een minuut of tien, dan kan hij naar buiten. Als alles verkeerd gaat nog vijf minuten en daarna misschien vijf jaar, in de gevangenis of erger ... Michael voelt in de zakken van zijn jack. Hij haalt er een rond doosje met een metalen dekseltje uit en een houten borstel met afgesleten haar. Een druppeltje zweet loopt kriebelend van zijn achterhoofd in zijn nek.

Dan gebeurt er opeens een heleboel tegelijk. Boven zijn hoofd klinkt muziek. Michael staat halverwege de gang achter een van de vitrines. Op zo'n tien meter van hem vandaan zwaaien twee enorme deuren open, de deuren van de theaterzaal. Meteen daarna komt een drom mensen naar buiten. Mannen en vrouwen in nette kleding en kinderen in haveloze, gescheurde kleren en met zwarte vegen op hun gezicht.

Automatisch voelt Michael aan zijn eigen wang. Heeft hij ook nog een zwarte veeg? Dan herkent hij direct twee gezichten in de groep mensen die langzaam dichterbij komt. Het ene van de vrouw die hij al zo vaak op postzegels en munten heeft zien staan. Het beroemde gezicht lacht, zoals altijd. Naast haar loopt een man die hij alleen kent van de foto's. Het kan niet missen. De man is minder groot dan hij zich had voorgesteld. Hij draagt een donker pak en een rode stropdas op zijn witte overhemd, precies zoals Blubber hem had verteld. De buitenlandse man lacht ook, maar het is een namaaklach. Zijn ogen lachen niet mee.

Hij ziet dat de koningin iets tegen de minister zegt. De groep is nu drie meter van Michael vandaan. In Michaels hoofd heerst volkomen stilte. Ook het suizen is verdwenen. Hij hoort het geroezemoes van de stemmen om hem heen niet. Hij is zich zelfs niet bewust van de grote hoeveelheid mensen die het gezelschap staat aan te gapen.

Even flitsen zijn ogen naar de jaszak van de grijze man met de dikke wenkbrauwen. Dan stapt Michael, alsof het zo hoort, de rode loper op. Hij laat zich op één knie vallen voor de minister en houdt de oude borstel en het doosje schoenpoets omhoog.

'Schoenen poetsen, meneer? Alstublieft, het kost maar 10 cent. Alstublieft, meneer. Mijn baas slaat mij als ik zonder geld thuiskom!'

Michael durft niet op te kijken. Voor zich op de rode vloer ziet hij alleen twee paar keurig gepoetste schoenen. Een paar bruine van een man en een paar rode met hakjes van zijn eigen koningin.

'What does he want?', hoort hij de minister vragen.

'He wants to clean your shoes. Just for 10 cents.'
Michael wacht niet op antwoord. Hij begint driftig te borstelen op de bruine veterschoenen. In het glimmende leer ziet hij zijn eigen gezicht weerspiegeld.
'Thank you', hoort hij dan de donkere stem. Een grote, behaarde hand komt omlaag en gooit een muntje op de grond. Michael grist het weg. Hij hoort ver op de achtergrond het lachen van de omstanders. Er wordt geapplaudisseerd.
'Leuk bedacht.'
'Die jongen durft!'
'Wat een lefgozertje!'
Dan komt Michael overeind, maar door het gehurkt zitten is zijn been natuurlijk gaan slapen. Michael wankelt en grijpt zich vast aan de man, die nog steeds voor hem staat.
'Gaat het, jongen?', hoort hij de vriendelijke stem van de bekendste vrouw van Nederland.
'Ja hoor, mevrouw,' hoort Michael zichzelf terugzeggen, 'mijn been slaapt.' Michael heeft de man weer losgelaten.
'Sorry meneer', mompelt hij met zijn gezicht omlaag en hij loopt het lachende publiek in dat zich heeft opgesteld aan beide kanten van de rode loper.
Michael wringt zich door de mensenmassa heen. Hij moet nu maken dat hij wegkomt en snel ook. Zijn hart gaat wild tekeer. Overal lopen mensen, maar verder is er niemand die speciaal op hem let. Ze zijn de act alweer vergeten. Alle ogen zijn gericht op de stoet belangrijke gasten die het theater verlaat.
Michael loopt de smalle gangetjes door. Aan het eind daarvan moet de uitgang zijn. De buitendeur staat open.

'Zo jong', hoort hij een zware stem. Een agent in uniform staat plotseling breeduit voor de uitgang. 'Ga je nu al naar huis? Moet je niet op je ouders wachten?'

Michael kijkt de agent glimlachend aan. 'Ik moet voetballen, ik ben al veel te laat.'

'Ja, voetballen is belangrijk, nooit een wedstrijd missen. Ga dan maar gauw.'

Michael glipt snel langs de agent.

Hij is buiten, nu wegwezen hier.

'Hé, jij daar!'

Een stem als een pistoolschot dondert achter Michaels rug.

'Blijf eens even staan!'

Michael draait zich met een ruk om. Het lijkt wel of zijn hart stilstaat.

De agent heeft gezelschap gekregen van drie collega's. Ze kijken hem alle vier aan.

'Scoor er eentje voor mij, wil je', roept de man.

'Zal ik doen', roept Michael terug. En als hij zich omdraait in zichzelf: 'Sorry jongens, maar ik heb al gescoord.' Michael opent zijn rechtervuist. Daarin ligt een glimmende cd-rom. Het is hem gelukt.

Hoofdstuk 15

Plan B

'Het is me gelukt, het is me gelukt', juicht Michael. Met twee vuisten in de lucht maakt hij een rondedans om een geparkeerde auto.

'Ik zei het toch. Makkie, had ik ook gekund, fluitje van een cent.' Younous kijkt zijn vriend aan en knipoogt. 'Je bent de beste, Michael. Nee, echt!' Hij legt een arm om Michaels schouders. 'Als je een meisje was, kreeg je een zoen. Misschien wel twee', zegt Younous. 'En nou vertellen hoe het ging.'

De twee jongens lopen bijna dansend naar de tramhalte.

Het is nog steeds druk op straat en het water in de vijver is nog steeds oranje. Een klein jongetje buigt zich ver voorover en steekt zijn vinger eerst in het water en daarna in zijn mond. Dan trekt hij een vies gezicht.

Michael vertelt Younous precies hoe alles gegaan is. Younous luistert vol bewondering. Hij is trots op zijn vriend.

'Jij zult nog eens schatrijk worden', zegt Younous.

'Dat wil ik niet', reageert Michael boos. 'Je weet best dat ik daarom niet ben gaan zakkenrollen.'

'Sorry, maar jij bent de beste, man.'

'Nee,' zegt Michael, 'dit was de laatste keer.'

'Hè?'

'Dit was de laatste keer! Ben je doof of zo?'

'Oh nee, hè!', piept Younous dan ineens.

'Wat is er?', vraagt Michael geschrokken.

Younous wijst naar de grond. Van onder de neus van zijn te grote sandalen steekt een smerige bruine klodder. Michael barst in lachen uit.

'Waarom lach je nou, man?'

'Hondenpoep leggen, niemand zeggen', zingt Michael.

'Oh, wat stinkt dat, zegt onze haan.'

'Hé, ik kan je niet meer volgen, Maik', bromt Younous boos.

'Ik moet denken aan Blubber en zijn mooie, nieuwe automatjes.'

Michael ligt dubbel van het lachen, maar Younous kijkt nijdig en niet-begrijpend.

'Sorry hoor, maar daar snap ik dus helemaal niks van.'

Younous loopt kwaad naar de stoeprand. Met een vies gezicht veegt hij de onderkant van zijn sandalen zo goed mogelijk schoon.

'Younous, opschieten, daar is de tram!'

Younous komt aangerend en de jongens springen naar binnen. Ze gaan naast elkaar zitten.

'En nu?', vraagt Younous.

'Plan B', antwoordt Michael.

'Denk je dat het lukt?'

'Ja, het kan gewoon niet anders. Ik heb in ieder geval helemaal niks wat ik ze kan geven.'

'Niet? Maar je zei dat je ...'

'Ik heb het niet meer. Jij hebt het!'

'Ik?'

'Ja, kijk maar in je rechter jaszak.'

Younous' hand voelt in zijn jaszak. 'Verdraaid, hoe kan dat nou?'

'Zul je er zuinig op zijn?', glimlacht Michael geheimzinnig. 'Het is mijn vrijkaartje.'
'Eh, ja natuurlijk.' Het gezicht van Younous staat stomverbaasd. Er zit opeens een cd-rom in zijn zak.
'Jij mag straks dus niet met me mee. Ik moet alleen naar ze toe.'
Younous knikt. Hij weet het.
De rest van de rit zitten ze zwijgend naast elkaar in de tram.
Op het Breeplein stappen ze uit. De grote klok in het midden van het plein vertelt dat het halfvier is. Michael is ruim op tijd.
'Alles goed?', vraagt Younous.
'Gaat wel', antwoordt Michael.
'Moet ik echt niet met je mee?'
'Met zulke smerige voeten? Nee, ik ga alleen. Trouwens, jij hebt toch ook wat te doen?'
'Oké dan, ik zie je straks hier onder de klok.'
'Goed, tot straks.'
Michael loopt weg in de richting van de Stadionweg. Younous kijkt zijn vriend na. Dan loopt hij ook weg.

Michael steekt de Dordtsestraatweg over en loopt in de richting van de boogvormige doorgang onder de brug die naar het stadion leidt. Rechts ligt de Odiliaschool. In de verte ziet hij de lichtmasten van het Feyenoordstadion.
'Om kwart voor vier zien we jou onder de Feyenoordbrug. Zorg dat je op tijd bent', had Blubber gezegd.
Het is nu twintig voor vier, maar er is nog niemand te bekennen. In de verte ziet Michael een oude man die een piepklein hondje uitlaat aan een veel te lang touw.

Het is maar goed dat het niet waait, denkt Michael, anders zou die man nu aan het vliegeren zijn.

Plotseling komt een geblindeerde bestelbus onder de brug vandaan rijden. Die stond daar waarschijnlijk al die tijd al geparkeerd zonder op te vallen. Achter de bus ziet Michael nog een auto.

'BMW', flitst het door zijn hoofd, maar Michael krijgt geen tijd om goed te kijken.

De achterdeuren van het busje klappen open en een dikke man, Blubber, springt te voorschijn. Hij draagt nog steeds hetzelfde jasje. Zijn paardenstaartje lijkt nog vetter dan een paar weken geleden.

'Keurig op tijd', grauwt hij en hij loopt met grote passen op Michael af.

Even voelt Michael de neiging om weg te lopen. De angst komt plotseling nog heviger opzetten en voelt als een strak getrokken koord om zijn keel. Toch blijft hij staan. Plan B moet worden uitgevoerd.

'Nou, komt er nog wat van? Kom op met de buit. Tenminste, ik neem aan dat je geslaagd bent!'

Michael reageert niet en houdt zijn mond stijf dicht.

'Hé, een uur is te lang. Opschieten!' Blubber steekt zijn grote hand uit.

Achter de brede schouders van Blubber is een andere man verschenen. Michael heeft de man nog nooit eerder gezien.

'Ik heb hem wel, maar niet hier.'

'Niet hier? Wat bedoel je, verdraaid!'

'Nee, gewoon, niet hier.'

'Jij snotaap.'

'Ik wil iets in ruil', zegt Michael hakkelend. Het is eruit!

Michael voelt zich misselijk worden van angst. Hij moet een paar keer slikken en proeft een bittere smaak achter op zijn tong.

'Jij wilt iets in ruil', zegt Blubber smalend. 'Een ijsje misschien, of laat me eens raden ... een happy meal?'

'Nee, ik wil iets dat van mij is en dat jullie hebben.'

'Wat?'

'Ik wil de foto's en de andere bewijzen die jullie van mij hebben.'

'Waarom in vredesnaam?'

'Daarom. Om zeker te weten dat jullie me hierna laten gaan.'

'Slim bedacht', antwoordt Blubber. Het lijkt of hij moet nadenken over een beslissing en dan draait hij zich om. Blubber loopt met snelle passen voorbij de bus naar de blauwgrijze BMW.

Michael staat te trillen op zijn benen.

De andere man is blijven staan. Hij neemt Michael met zijn armen over elkaar onbewogen op.

Blubber staat half gebogen naast het opengedraaide autoraampje, maar zijn woorden zijn niet te verstaan. Dan komt Blubber overeind en loopt met grote passen op Michael af.

'Goed,' zegt hij, 'de baas vindt het oké. Over een uur zijn we weer hier. Wij hebben dan jouw boodschappen en jij hebt die van ons. Heb je dat begrepen?'

Michael knikt.

'Mocht je er niet zijn, dan gaan we meteen jouw boodschappen maar bezorgen bij, laten we zeggen, het hoofdbureau van de politie. Die werken het snelst, dat zijn geen doetjes.'

Even grijnst Blubber zijn gouden tanden bloot. Dan draait hij zich op zijn hakken om en springt in de bus. De andere man is al ingestapt. De deuren slaan dicht en met gierende banden rijden de auto's ervandoor.

Michael blijft staan. Het lijkt wel of hij zich niet meer kan bewegen, of zijn voeten met secondelijm zijn vastgeplakt aan de stoeptegels.

Een BMW, denkt hij. Wie zat daar in? Was het diezelfde man als met wie hij gesproken heeft in de donkere kamer? De man achter het licht?

'Joehoe, lach eens naar het vogeltje!'

Michael schrikt op uit zijn gedachten en kijkt omhoog.

'Hierheen kijken en lachen. Say "Cheeeessse"!'

Dan ziet Michael waar de stem vandaan komt. Boven op de voetgangersbrug staat Younous. Hij heeft zijn fototoestelletje in zijn hand. Michael grijnst.

Younous maakt een foto en wijst daarna naar rechts. Michael begrijpt wat Younous bedoelt. Hij wil dat Michael naar het begin van de brug loopt.

Als hij daar aankomt zit Younous breed lachend op de verroeste ijzeren brugleuning.

'Ik heb een mooie reportage gemaakt. Knipperdeknip. Voor later, voor mijn kinderen, zodat ze trots op hun vader kunnen zijn en op zijn vriend. Kan ik er de plaatjes bij laten zien als ik mijn kinderen vertel ...'

'Heb je alles gefotografeerd? Ook die twee auto's bij de poort?', onderbreekt Michael hem.

Younous knikt. 'Ja man, minstens tien mooie kiekjes.'

'Kom op,' zegt Michael, 'naar de Beyerlandselaan.'

'Hè?'

'Niet zeuren, meekomen!'

Hij trekt Younous aan zijn mouw van de leuning weg.
'Wat ga je doen', stribbelt Younous tegen.
'Zul je wel zien!'
'Hé Michael, wat ben je van plan, man?'
'Ik wil die foto's zien.'
'Kan niet, je moet die foto's eerst laten ontwikkelen.'
'Klopt en dat gaan we dan ook meteen laten doen.'
'Ben jij zo nieuwsgierig?'
'Ja, nieuwsgierig, dat kun je wel zeggen. Heel erg nieuws-
gierig!'

Op de Beyerlandselaan is een fotowinkel waar ze foto's
direct afdrukken. Je kunt erop wachten.
De jongens zijn meteen aan de beurt.
'Heb je eigenlijk wel geld bij je?', vraagt Younous.
Hij heeft net een blik geworpen op de prijslijst. Het is
duur om foto's zo snel te laten afdrukken.
'Ja', antwoordt Michael.
Zenuwachtig lopen de jongens in de winkel op en neer.
Allerlei gedachten gaan door Michaels hoofd. Hij weet
niet waarom hij dit nu zo nodig moet doen. Waarom
heeft hij zo'n haast? Waarom denkt hij dat die foto's zo
belangrijk zijn? Hij heeft er een heel raar gevoel over.
Alsof er een soort oplossing kan komen, voor alles. Voor
alle boosheid, voor alle verdriet. Voor zijn moeder en
hem.
Hij ziet zijn moeder voor zich, knielend voor het kleine
altaartje met de brandende kaarsjes en de foto van opa en
oma. Hij houdt van die mensen daar in dat verre land en
hij weet dat ze ook van hem houden. Wat zou hij graag
bij hen willen zijn.

'De foto's zijn klaar', klinkt een stem van achter de toonbank.

De jongens schieten naar voren en grissen bijna de envelop uit de handen van de verkoopster.

Michael legt tien euro op de glazen plaat en loopt dan op
een draf de winkel uit.

'Willen jullie het bonnetje nog?', horen ze achter zich roepen, maar de jongens reageren niet. Ze lopen snel door
en hebben oog voor maar één ding.

Hoofdstuk 16

Nooit meer huilen

Twee gebalde vuisten
een grimmige mond
boosheid
ongelofelijk boos
verdriet.

Het is zachtjes gaan motregenen. Alles is grijs en nat. Het lijkt wel of er geen mens meer de straat op durft, zo stil is het buiten. Waarschijnlijk zou Michael het ook niet opgemerkt hebben als er wel mensen waren geweest. Hij is diep in gedachten. Zijn T-shirt hangt een stuk uit zijn broek, maar hij merkt het niet. Zijn gezicht glinstert van de regen. Met de rug van zijn hand veegt hij de nattigheid uit zijn gezicht. Vooral rond zijn ogen is het nat, alsof het binnen in Michael ook regent. Er lopen tranen over zijn gezicht.

Nadat ze de fotowinkel uit gelopen waren, zijn ze rechtstreeks naar een cafetaria op de hoek van de drukke winkelstraat gerend. Allebei hartstikke nieuwsgierig naar wat er op de foto's te zien zou zijn.
'Mag je hier zomaar gaan zitten zonder iets te eten te kopen?', had Younous gevraagd.
'Je zit toch op je eigen achterwerk', had Michael geantwoord.

'Ja maar, moet je dan niet …'

'Niet zeuren, Younous. Kom op, laten we naar de foto's kijken.'

Michael had op zijn horloge gekeken. Je kon nog nauwelijks de cijfers lezen, zoveel krassen zaten er op het glas. Tien voor halfvijf. Nog vijfentwintig minuten.

'Opschieten, ik wil ze nu zien.'

'Oké, ik maak ze open. Ik heb ze gemaakt.'

Younous had de foto's uit de envelop gehaald en ze een voor een aan Michael laten zien.

'Kijk nou, goed gelukt, vind je niet?'

'Ja.'

'Ik heb jou eerst op de foto gezet, samen met die dikke vent in dat stomme jasje.'

'Blubber.'

'Van die hondenpoep in zijn auto?'

'Ook.'

'En deze dan. Gave kar, vind je niet?'

Michael had naar de foto gekeken van de blauwgrijze BMW die geparkeerd had gestaan achter de donkere bus. Achter het stuur zat een man. Niet dik, maar ook niet dun. Zo'n veertig jaar, donkerblond achterovergekamd haar, een onopvallend gezicht. Geen bijzonder knappe of lelijke man.

'Hallo! Vind je die niet goed?'

Michael was opeens spierwit geworden. Toen was hij in snikken uitgebarsten. De tranen stroomden over zijn wangen.

'Wat is er, Maik? Wat is er nou, man', had Younous gezegd. 'Heb je pijn of zo? Hé, Michael? Michael!'

'Hij is het', was het enige geweest dat Michael had

gezegd. Toen was hij opgestaan en het restaurant uit gegaan.

Younous was achter hem aan gekomen, maar had eerst snel de foto's bij elkaar geraapt. 'Michael, waar ga je naartoe, man? Vertel het nou, joh. Heb ik wat verkeerds gezegd?'

Michael was gaan rennen. Keihard, zo hard hij kon. Straten overstekend zonder op te letten. Younous had geprobeerd hem te volgen, maar dat had weinig zin. Michael liep veel sneller.

'Michael, wacht nou!'

Toen had Michael zich omgedraaid en geschreeuwd: 'Laat me met rust! Wegwezen!'

Als versteend was Younous blijven staan. Wat was er in vredesnaam met zijn vriend aan de hand? Die blik in zijn ogen!

Michael was er als een speer vandoor gegaan. Hij moest naar zijn afspraak met die Blubber.

'Maar Michael,' had Younous hijgend gefluisterd, 'je vergeet iets. Je moet ze die cd-rom toch geven en die heb ik nog in mijn zak.' Younous had in zijn jaszak gevoeld, maar die was leeg.

Weer kijkt Michael op zijn horloge. Alsof hij bestuurd werd door een automatische piloot, zo is hij op de afgesproken plek aangekomen. Het is een grote warboel in zijn hoofd. Hij probeert alles op een rijtje te krijgen. Hij moet een beslissing nemen, misschien wel de belangrijkste beslissing van zijn hele leven. Maar hij staat er helemaal alleen voor, er is niemand die hem nu nog kan helpen. En zo is het eigenlijk altijd geweest. Of toch niet?

Younous heeft hem goed geholpen. En zijn moeder, zij is er ook altijd. En zijn vader? Díé zou hem moeten helpen, naast hem moeten staan. Nee, vóór hem. Maar zijn vader is nu op een andere plaats, een heel andere plaats! De tranen branden achter zijn ogen. Dit doet zó'n pijn!

Ineens staat de man met het ruitcolbert voor hem. In zijn hand heeft hij een grote, bruine envelop. 'Je bent op tijd. Jammer, want ik had eerlijk gezegd meer zin om dit pakketje ergens anders te gaan bezorgen.'

Weer valt er een stukje van de puzzel in Michaels herinnering op zijn plaats. Hij weet nu waar hij dat dikke gezicht van kent. Van lang geleden. Misschien was hij toen nog maar vier jaar, maar hij herkent dat gezicht nu. Michael moet vechten tegen zijn tranen. Hij bijt op zijn onderlip tot hij bloed proeft.

'Nou, komt er nog wat van? 'k Zou hier mooi kouvatten in die rotregen. Geef op die handel!'

Michael blijft zwijgen. Als hij nu iets zou zeggen, dan zou hij opnieuw gaan huilen en dat mag niet gebeuren. Zij mogen hem nooit, nóóit meer zien huilen. Dat hebben ze toen al gezien en dat gunt hij hun nooit meer.

Michael haalt het plastic doosje uit zijn zak.

'Gelijk oversteken dan maar, kleine dief', grijnst Blubber. Michael steekt zijn ene hand met het doosje uit en trekt tegelijkertijd de dikke envelop uit de hand van Blubber.

'Je bent braaf, kleine dief', lacht Blubber, terwijl hij de cd-rom in de zak van zijn jasje stopt. 'Blijf vooral zo. En trouwens ... wie weet willen we nog wel eens van je diensten gebruikmaken.' Zijn glimlach heeft nu iets sadistisch. 'Kopieën, weet je. We hebben per ongeluk nog wat kopieën gehouden.'

Met alle kracht die Michael op kan brengen, met alle woede die er in hem schuilt, spuugt hij Blubber in zijn gezicht.

De grote hand van Blubber schiet naar voren. Hij grijpt Michael hard aan de rits van zijn jack en trekt hem dicht naar zich toe. Michael ziet zijn eigen spuug van het rood aangelopen gezicht van Blubber omlaag druipen.

'Weet je wat jij bent? Jij bent een kleine, bruine bastaard. Een niks, een nul. Jij bent afval!'

Michael heeft zijn ogen gesloten. Hij wil niet meer kijken, hij wil dit gezicht niet meer zien.

Dan krijgt hij een harde zet en tuimelt achterover op de natte straat. Nog steeds met zijn ogen dicht krabbelt hij overeind en zet het dan op een lopen.

Achter zich hoort hij bulderend gelach: 'Bedankt, bastaard!'

Hoofdstuk 17

Bekentenis

'Wil je nog een glas cola?'

'Nee, dank u.'

'Zeker weten? Een koek dan of iets anders?'

'Nee.'

'Je zult nog even moeten wachten.'

'Ja.'

'Denk je dat dat lukt?'

Michael geeft geen antwoord.

'Kan ik nog ...'

De grijze deur van de kleine, kale ruimte wordt met een ruk open getrokken. In de ingang staat een man in een wit overhemd. Zijn mouwen heeft hij opgerold. Op het puntje van zijn neus staat een hoornen brilletje. In zijn hand houdt hij een gele envelop.

'Hallo Michael.'

Michael kijkt de man niet aan. Hij staart alleen maar recht voor zich uit naar het getraliede venster.

'Ik heb je vriendje net gesproken. Hij heeft dit voor je afgegeven.' De man legt de envelop vlak voor Michael op de tafel neer. 'Vind je het goed als ik even met je praat?'

Michael knikt.

De man pakt een houten stoel die langs de wand staat. Hij schuift hem tegenover Michael en gaat zitten. 'Ik heet Van der Spek, Rob van der Spek. En dat heeft niets met snoep te maken.'

Even komt er een flauwe glimlach rond Michaels lippen, die daarna meteen weer verdwijnt.

'Jij kunt gaan, Chris', zegt de man tegen de agent die Michael tot nu toe gezelschap heeft gehouden. De agent staat op en geeft Michael een klopje op zijn schouder.

'Wil je mij het verhaal ook eens vertellen?'

'Ik heb alles al verteld', antwoordt Michael.

'Ja, dat klopt, maar ik wil het zelf ook graag horen.'

Michael zwijgt.

'Luister, Michael. Wat er vandaag gebeurd is, is echt heel bijzonder, geen kattenpis. We zijn onder de indruk.'

Michael kijkt de man aan.

'Wat jij vandaag geflikt hebt, was een ongelofelijk brutaal staaltje vakmanschap: eerst langs de beveiliging van het Hofpleintheater, je verstoppen in de toiletten ...'

Van der Spek pakt het glas cola van Michael van de tafel en neemt er een flinke slok uit. Michael schiet ondanks alles bijna in de lach.

'Is er iets?', bromt de rechercheur.

'Daar heb ik net uit gedronken', mompelt Michael.

'Nou en, cola is cola, ik ben niet vies van jou.' De rechercheur laat een zacht boertje. 'Sorry, ja, cola is cola, en toen die act bij onze koningin en de minister. Dat was brutaal en heel erg gedurfd.'

De rechercheur kijkt op de klok aan de wand. Halfzeven. 'Weet je, Michael, ik werk al twintig jaar bij de politie, maar dit heb ik nog nooit meegemaakt. Een jochie van nog geen veertig kilo, die een complete beveiliging kan tillen. Ik bedoel: je hebt ons mooi voor aap gezet!'

'Sorry.'

'Sorry? Is dat alles wat je kunt zeggen?' De stem van de

rechercheur is opeens niet zo vriendelijk meer. De lach op zijn gezicht is verdwenen. 'Jij komt hier het bureau binnen wandelen en vertelt doodleuk dat je een minister van Buitenlandse Zaken hebt gerold. En nog wel in het bijzijn van honderden mensen.' Van der Spek staart even naar het plafond en veegt een vlokje spuug uit zijn mondhoek. 'In het bijzijn van de koningin!'

Stilte.

'En dan zeg jij "sorry"?'

Michael heeft het gevoel dat hij opeens heel nodig moet plassen. Zo meteen doet hij het nog in zijn broek.

'Zit niet zo te draaien. Luister en geef antwoord op mijn vraag.'

'Ik heb alles al verteld, dat heb ik al gezegd', durft Michael te antwoorden.

'Ik heb je gevraagd om mij het hele verhaal te vertellen. Waarom je het gedaan hebt en wie je heeft geholpen. De hele reutemeteut.'

'Ik moet naar de wc.'

'Chris', brult Van der Spek.

Meteen gaat de deur open.

'Ja, inspecteur?'

'Die kleine hier moet plassen. Loop met hem mee en blijf voor de deur staan. Verlies hem onder geen beding uit het oog.'

'Jawel, inspecteur. Kom, Michael, deze kant op.'

Michael wordt door een aantal nauwe gangetjes geleid. Links en rechts zijn dezelfde grijze deuren als die van de kamer waar hij vandaan komt. Op elke deur zit een groot schuifslot. Daar waar een raam zou kunnen zitten, bevindt zich een metalen kijkluik. Achter die deuren zijn de cellen.

Daar kom ik straks ook te zitten, denkt Michael. De koude rillingen lopen over zijn rug. Zou zijn moeder het al weten? Vast wel. Hij heeft zijn naam en adres op moeten geven en hij heeft de waarheid verteld. En waar is Younous? Zouden ze hem nu vasthouden op het bureau, omdat hij de foto's heeft gebracht? Hij zal de hele waarheid moeten vertellen. En dan ...

Chris duwt hem een klein toilet in. 'Ik blijf hier staan', zegt de agent. 'Schiet maar op.'

Als Michael klaar is, lopen ze terug naar de verhoorkamer.

Het gezicht van Van der Spek staat op onweer. 'En nou zitten en vertellen! Ik wil de hele waarheid horen, van kop tot staart. Nu!'

Dan begint Michael te vertellen. Hij vertelt dat hij zakken heeft gerold, op het Zuidplein. Hij vertelt van de eerste ontmoeting met Blubber. Van de ontvoering, het gesprek in de donkere kamer, de autorit in de grijze Opel en de instructies die Michael toen heeft gekregen. Tot slot vertelt hij over de gebeurtenissen van deze dag.

Het hele gesprek wordt opgenomen. De recorder staat naast het nu lege colaglas en maakt een zoemend geluid.

'En die Younous, wat heeft hij hier mee te maken?'

'Niets, Younous heeft niets gedaan. Hij is gewoon mijn vriend', zegt Michael snel.

'Toch was hij vandaag bij je, is het niet?'

Michael knikt. 'Hij heeft de foto's gemaakt van de wagens onder de brug.'

'Zitten de foto's in die envelop?'

Michael knikt. Hij kijkt naar de tafel waar het fotomapje ligt. Met die ene foto. Die ene, rottige foto.

'Je vriendje vertelde dat hij je naar het bureau was gevolgd. Ik moest je het mapje geven. Hij zei dat het belangrijk was.'

'Op de foto's staan de mannen. Blubber en nog iemand. En ... en ... de chef. Hij heeft toen tegen me gepraat, in die kamer. Hij is ...'

Er wordt zacht maar duidelijk op de deur geklopt.

'Nu niet', brult Van der Spek.

De deur gaat open.

'Ik zei "nu niet". Ik wil niet gestoord worden!'

In de deuropening staat een oudere man in een keurig kostuum. 'Kan ik je even spreken, Van der Spek. Het is belangrijk.'

Geïrriteerd draait de rechercheur zijn hoofd naar de deur.

Dan herkent hij het gezicht van de hoofdcommissaris.
'Neemt u me niet kwalijk, hoofdcommissaris.'
'Geeft niet, Van der Spek.' De hoofdcommissaris drukt
op de stopknop van de recorder. Tegen Michael zegt hij:
'Michael, meneer Van der Spek gaat even met mij mee.
We komen straks bij je terug, maar er is iemand die graag
met je wil praten.'
Van der Spek grist de fotomap van de tafel en staat met-
een op. De hoofdcommissaris stapt opzij. Een kleine,
donkere vrouw met lang zwart haar stapt naar binnen.
Michaels ogen vallen bijna uit hun kassen. Zijn mond
zakt langzaam open. 'Mam!'

Hoofdstuk 18

Dit kan niet waar zijn

Op Michaels linkerwang zit een vuurrode vlek. Daar heeft zijn moeder hem een klap gegeven, de eerste klap in heel zijn leven. Het doet pijn, maar erg vindt Michael het niet. Hij begrijpt het wel.

Maar als na een uur de hoofdcommissaris en de inspecteur weer binnenkomen in de verhoorkamer, zien ze twee mensen. Een moeder en een zoon die elkaar stevig omhelzen.

Michael wil haar nooit meer loslaten. Ze praten niet en bewegen niet. Michael heeft haar alles verteld. Alles. En toen hebben ze samen gehuild.

De hoofdcommissaris kucht. 'Neemt u ons niet kwalijk', zegt hij vriendelijk. 'Michael, wil je even naar me kijken?' Van der Spek doet de deur achter zich dicht. Met zijn armen over elkaar blijft hij leunend tegen de muur staan toekijken.

De hoofdcommissaris gaat op een stoel zitten. 'Michael, ik denk dat het vandaag je geluksdag is.'

Geluksdag, denkt Michael, geluksdag?

'Wat jij vandaag gedaan hebt, is natuurlijk nooit goed te praten. Je hebt gestolen. Stelen is verkeerd en strafbaar.'

Michael heeft zich van zijn moeder losgemaakt. Hij kijkt nu in het gezicht van de man in het grijze pak. Het gezicht staat nog steeds vriendelijk.

'Normaal moeten we je daarvoor arresteren. De jeugd-
rechter geeft je dan een gepaste straf.'
De gevangenis, denkt Michael. Ik weet het, ik heb het er
voor over. Ik heb ze de waarheid verteld. Maar die mannen dan? De man in de BMW?
Michael wil de vraag stellen, maar de hoofdcommissaris
is hem voor.
'Je vraagt je af of we je geloven? Of we geloven waarom
je dat vandaag gedaan hebt, waardoor je nu hier zit?'
Michael knikt.
De commissaris draait zich om: 'Haal hem maar, Van der
Spek.'
De inspecteur doet zijn armen van elkaar. Hij doet de
deur open en zegt dan zacht, maar heel duidelijk: 'Would
you please come in, sir?'
Michael schrikt. Dit kan niet waar zijn. Een felle pijn-
scheut trekt door zijn onderbuik en al het bloed trekt weg
uit zijn gezicht.
In de deuropening staat de man met het dikke, grijze
haar, de grove wenkbrauwen en het litteken op het gezicht. De minister van Buitenlandse Zaken, 'van Joegoslavië of wat daar nog van over is', zoals Blubber het had
gezegd. De man die hij vandaag beroofd heeft.
Michael zou door de grond willen zakken. Hij kruipt
dicht tegen zijn moeder aan. Hij zou wel in haar willen
kruipen. Michael hoort voetstappen dichterbij komen.
Hij schaamt zich en hij is doodsbang.
Dan hoort hij de zware stem met het vreemde accent:
'Michael, you are Michael, isn't it? I would like to thank
you. You are a brave boy. I will make it up to you.' Dan
voelt hij dat zijn hand wordt losgemaakt van zijn moe-

ders lijf. Een stevige hand schudt zijn hand en dan hoort hij weer: 'Thank you, thank you again.' Dan wordt zijn hand losgelaten en de voetstappen verdwijnen in de richting van de deur. 'I rely on it that he gets what we owe him?'

'Yes, sir. Of course, sir', horen ze de stem van de hoofdcommissaris antwoorden.

Dan wordt alles zwart voor Michaels ogen.

Hoofdstuk 19

Zoen op zijn wang

Ze zitten met zijn drieën op de achterbank van de politie-auto. Voorin zit Van der Spek. Agent Chris is achter het stuur gekropen. Michaels moeder zit in het midden. Ze heeft haar linkerarm om de schouders van Michael en haar rechter- om die van Younous gelegd. Op haar schoot ligt een envelop.

Niemand zegt iets. Alleen Chris kijkt af en toe glimlachend achterom. Van der Spek kijkt stug voor zich uit.

Michael en Younous durven hun mond niet open te doen. Het is ze trouwens streng verboden om met wie dan ook te praten over de afgelopen dag. Het moet allemaal geheim blijven. Ze hebben het plechtig moeten beloven.

Younous was in de verhoorkamer gehaald, nadat de minister was vertrokken.

Toen hij de foto's voor Michael had gebracht, wilde de politie hem niet laten gaan. Ook hij was door een agent verhoord, maar hij had niets verteld. Na een tijdje kreeg Younous van een agent in burger te horen dat hij naar een andere kamer moest. Daar waren Michael en zijn moeder en nog twee mannen.

'Het is voor iedereen beter om de gebeurtenis van vandaag te vergeten', had de hoofdcommissaris gezegd. 'De minister heeft zijn cd-rom terug. Door de wel heel bijzondere omstandigheden zullen we jou niet langer vasthouden.' Hij had Michael heel streng aangekeken. 'Maar besef wel dat jouw naam nu hier wel bekend is! Begrijp je wat ik daarmee bedoel, Michael?'

Michael had geknikt.

'Verder wil ik straks met jou en jouw moeder het een en ander gaan bespreken.'

In plaats van straf kreeg hij zelfs een beloning. Michael begreep er helemaal niets van.

Maar over die beloning doen ze nu weer een beetje geheimzinnig, vindt Younous.

Younous had gezien dat Michael een poosje met zijn ogen dicht tegen zijn moeder aan gelegen had. Toen Michael zijn ogen open deed, had hij Younous naast de commissaris zien staan.

'Hoi', had Younous gezegd. 'Hebben ze je de foto's gegeven?'

Michael had alleen geknikt.

'We zijn er', klinkt de stem van Van der Spek. 'Ik loop even met jullie mee naar binnen. Chris brengt Younous naar huis.'

Chris knikt.

'Je weet wat je moet vertellen aan zijn ouders?', vraagt de rechercheur.

'Ja, meneer', antwoordt Chris. 'Hij en zijn vriend waren getuigen van een zakkenroller die zijn slag sloeg. De jongens hebben de politie goed geholpen en daarom geven wij ze in ruil daarvoor een lift naar huis.'

'Prima', zegt Van der Spek.

Michaels moeder geeft Younous een zoen op zijn wang. Younous kijkt verlegen.

Michael schiet in de lach. 'Je houdt toch zo van zoenen', zegt hij. 'Mijn moeder kan het beste zoenen van de hele wereld.'

'Misschien,' reageert Younous bedeesd, 'maar ik ken iemand die het ook goed kan.'

'Wie dan?', lacht Michael.

'Dat is mijn geheim', giechelt Younous.

'We hebben wel veel geheimen', zegt Michael.

Younous knikt. 'Ik zie je gauw.'

Michael zegt niets, maar draait snel zijn hoofd om en stapt uit.

Met zijn drieën lopen ze naar de voordeur. Michael kijkt achterom en ziet dat Younous voor in de auto is gekropen. Hij ziet het lachende gezicht van Chris. Dan begint het blauwe zwaailicht te draaien en de sirene begint te loeien. Zo rijden ze de straat uit.

'Wat een kanjer van een vriend heb jij', zegt Michaels moeder. Ze aait haar zoon over zijn hoofd.

Michael knikt. 'Ja, zeker, en hij kan knalgave foto's maken.'

Hoofdstuk 20

Brief uit Thailand

Hoi Younous,

Lang geleden, man. Hoe gaat het met jou en je hondje?
Op dit moment lig ik naar je foto te kijken. Die met die
jurk, je zondagse (geintje).
Ik hoop voor je dat je niet naar Engeland hoeft. Of wil je
het misschien toch eigenlijk wel? Dan moet je het doen.
Je zult zien dat het best leuk wordt. Ik weet zeker dat het
je daar op school best lukt, omdat je gewoon in alles een
kei bent!

Het is hier heerlijk warm, zo'n 25 graden. Ik lig op het
strand. Het zand is wit en zacht. Zachter dan mijn
matras.
's Avonds als ik ga slapen, luister ik naar het gillen van de
apen in de bomen. Ja, het barst hier van de apen. Sommi-
ge heten Younous (sorry, weer een geintje).
Mam heeft een baantje gevonden. Ze werkt in een zie-
kenhuis als leerling-verpleegster. Ze vindt het geweldig.
Zelf ben ik al vier dagen naar school geweest. Moeilijk,
maar heel leuk. Ik heb al vrienden, maar niet een zoals
jij!
Ze kunnen hier trouwens best goed voetballen. Weinig
last van hondenpoep. Ze hebben alleen nog nooit van
Feyenoord gehoord, snap je dat nou?

Je zult wel heel erg verbaasd zijn geweest toen je het hoorde, dat van mijn moeder en mij. We waren zomaar opeens vertrokken en ik mocht geen afscheid van jou nemen. Ik vond het heel erg, maar dat was een van de voorwaarden die ze hadden gesteld. Zo was het veiliger.

Je mag deze brief trouwens aan niemand laten lezen. Verbrand hem straks maar bij die dode boom op de Geitenwei, maar pas op voor bloedzuigers!

Over bloedzuigers gesproken, daar wil ik je nu wat over vertellen. Toen ik jou in het schuurtje mijn geheim liet zien, heb ik je bijna alles verteld. Maar één ding niet.
Ik heb spijt van het zakkenrollen, echt waar, maar ik deed het niet zomaar. Niet voor mezelf. Mijn 'slachtoffers' koos ik altijd met zorg uit (deftig gezegd, vind je niet?). Ze moesten allemaal in zo'n stinkende BMW rijden, het liefst met van die verblindende kerstverlichting als koplampen.
Mijn vader had zo'n BMW.
Ik heb namelijk ook een vader. Je hebt hem één keer gezien. Bij de poort onder de brug. Je hebt hem op de foto gezet. Hij zat ook in die BMW. Hij was de 'chef'.
Weet je nog, dat ik zo in paniek raakte bij die patatzaak? Het was de eerste keer dat ik besefte dat ik mijn vader na heel veel jaren weer gezien had.
Toen ik vier jaar was, is hij bij mijn moeder weggegaan. Hij liet haar en mij achter, zonder geld, zonder iets. Vijf jaar daarvoor had hij mijn moeder meegenomen naar Nederland als een soort souvenir op een van zijn vakantiereisjes naar Thailand. Hij had mijn moeder beloofd

*altijd voor haar te blijven zorgen. Hij beloofde haar ook
dat ze bij haar ouders, die ze achter moest laten, op
bezoek mocht gaan. Maar dat was niet zo. Ze is nooit
terug geweest. Dat mocht ze niet.*

*Na vijf jaar had hij genoeg van haar en liet haar stikken.
Ze was leeggezogen. Ze was leeggezogen door een bloedzuiger, mijn vader.*

*Ik zag dat mijn moeder iedere dag verdriet had. In
Nederland had ze geen familie en zelfs geen vriendinnen.
Ze had ook geen geld om naar haar geboorteland terug te
gaan om haar ouders te zien. En ze miste hen zo verschrikkelijk. Ik ook, al had ik hen nog nooit gezien.
Daarom ging ik zakkenrollen, alleen van mannen die op
mijn vader leken. Begrijp je dat? Ik deed het om geld bij
elkaar te krijgen voor haar terugreis naar Thailand. Maar
dat wist je al.*

*Nu ik hier ben, zie ik zelf ook wel hoe stom dat was. Het
was gemeen en oneerlijk. Mijn slachtoffers hadden er
natuurlijk niets mee te maken. Zij konden er ook niets
aan doen. Maar ik haatte mijn vader. Om wat hij wel had
gedaan en om wat hij juist niet gedaan had. Hij had ons
zomaar in de steek gelaten.*

*Dat ik hier ben, geloof ik nog steeds niet echt. Het lijkt
wel een droom, een fantastische droom, maar dat is het
niet. Ik zie namelijk met mijn eigen ogen het huisje van
mijn opa en oma. Het is niet groot, maar wel heel gezellig. Mam en ik logeren zolang hier tot we zelf een huis
hebben gevonden. Ik hoop dat dat nog lang duurt, want
ik ben dol op opa en oma. Ze zijn de liefste mensen van
de hele wereld.*

Die dag, toen ik op het politiebureau was, heb ik alles verteld. Ik moest wel. Let maar op.

Het wordt wel een lange brief en als je moe wordt, leg hem dan maar even weg. Op een veilige plaats.

Nou ja, eigenlijk heb ik hun dus niet alles verteld. Niet van de BMW's en zo. Ook niet van mijn vader. Dat is iets wat jij nu alleen weet. En mam natuurlijk.
Al het geld en de portefeuilles liggen nog steeds op dezelfde plaats. Daar heb ik hun niets van verteld. En wat heel gek is, daar hebben ze ook niet naar gevraagd.
Toen die minister in de verhoorkamer was geweest, was alles voorbij. Mijn moeder, jij en ik mochten meteen naar huis. Voor we vertrokken, jij moest toen even de kamer uit, vertelden ze ons iets ongelofelijks.

Klok, klok, klok ... ik drink een beetje kokosmelk. Lekker, joh.

Weet je nog dat we in die politieauto naar huis werden gebracht? Mam kreeg toen een envelop mee. In die envelop zat een cheque die ondertekend was door die minister. Het was een beloning. Ik snapte er totaal niets van, het was zo onlogisch. Ik had gestolen en in ruil daarvoor kreeg ik geld: 25.000 euro.
Die minister bleek onmiddellijk een beloning te hebben uitgeloofd voor het vinden van die cd-rom. En die had ik gevonden, zeiden ze. Je snapt wel dat ik stomverbaasd was. Iedereen op het bureau feliciteerde me. Belachelijk, maar waar.

Aan mijn moeder vertelde de hoofdcommissaris waarom ik dat geld kreeg. Op die cd-rom die ik gepikt had, stond zeer geheime en heel belangrijke informatie over een internationale dievenbende. Een groep inbrekers uit het vroegere Joegoslavië, die ook in Nederland banken berooft. Met shovels en bulldozers rammen ze geldautomaten uit muren van banken. Die minister wilde onze politie helpen bij het oplossen van die roofovervallen. Het was top-geheime informatie, zei de commissaris. Het was de belangrijkste reden waarom hij naar ons land was gekomen.

Van de beloning hebben we de reis naar Thailand kunnen betalen en er is best nog wat geld over om hier straks ons nieuwe huisje te kunnen inrichten. Het wordt vast heel gezellig.

En nou komt het: de leider van die bende was ... mijn vader. Samen met Blubber en nog een stel collega's vormden ze een groep echte criminelen. Ze deden net alsof ze voor de AIVD werkten, maar dat was niet zo.

Blubber was trouwens allang een vriendje van mijn vader. Samen hadden ze destijds mijn moeder meegenomen uit Thailand. Daarom kwam hij me ook al zo bekend voor. Hij kwam vroeger vaak bij ons thuis op bezoek. Hij was er ook bij op de dag dat mijn vader ons verliet.

Ik had hem trouwens wel mooi te pakken, vind je niet? Toen we uit het Hofpleintheater kwamen, heb ik beloofd nooit meer te zullen zakkenrollen, maar voor Blubber heb ik nog één uitzondering gemaakt. Bij die tweede ontmoeting onder de brug heb ik hem in zijn gezicht

gespuugd. Hij was zo ontzettend kwaad op me, dat hij me hard naar zich toe trok. En dat moest ook. Ik had wel gedacht dat hij zo zou reageren. Het kostte me nog geen twee seconden om de cd-rom, die ik hem net gegeven had, weer uit zijn colbertzak te pikken.
Dus, Younous, wie het laatst lacht ...
Door jouw foto's hadden ze het bewijs bij wat ik vertelde. Mijn vader en zijn vrienden zijn diezelfde dag nog gearresteerd.

Als ik dit opschrijf, word ik weer ontzettend kwaad op mijn zogenaamde vader, maar mijn moeder zegt dat ik het nu moet proberen te vergeten. Ik doe mijn best, hoewel het heel moeilijk is. Je eigen vader die je ontvoert en laat stelen om er zelf beter van te worden. Ik kan het nog niet geloven.

Snap je nu waarom ik naar het politiebureau ben gegaan? Het was heel vreemd, maar op de een of andere manier hoopte ik op een wonder. De laatste weken had ik steeds een gevoel alsof er iets verschrikkelijk mis was. Maar ook dat er iets heel belangrijks stond te gebeuren.
Op het allerlaatste moment heb ik besloten dat mijn vader straf verdiende. Ik denk dat hij voorlopig niet uit de gevangenis zal komen.

Nou, Younous, dit is mijn verhaal, mijn geheim. En oh ja, nog één ding. Wil je iets voor me doen?
Ze zeggen dat er in een schuurtje, in Vreewijk, onder een berg rommel, een oude centrifuge, een rol vloerbedekking en dan weer onder een paar oude planken, iets ver-

*borgen ligt. De sleutel van het schuurtje ligt op de gehei-
me plek die jij nu kent. Wil jij alles in een stevige zak
stoppen? Ook de agenda. Daar staan alle slachtoffers in.
Stop dan die zak op een donkere avond in de brievenbus
van het politiebureau. Ze zullen dan alles teruggeven aan
de mensen waar ik het van gestolen heb. Ik heb er zelf
niets van gebruikt, alles is er nog.
Wees voorzichtig.
Je doet het! Ik weet het zeker.*

*Vanavond eten we grote garnalen die mijn opa gevangen
heeft in de zee. En jij?*

*Stuur me nog eens een foto. Je weet het: liefst één in een
jurk (maar zonder glitterpanty's).*

*De zon gaat hier heel snel onder.
Het kleurt de lucht prachtig rood.
Ik voel me heel gelukkig hier.*

Michael

*P.S. Nu wil ik jouw geheim weten.
Wie kan er beter zoenen dan mijn moeder?*

Over de schrijver

Piet van der Waal is geboren op 30 maart 1953 in Pernis. Nu woont hij in Nieuweroord vlakbij Hoogeveen. Als kind wilde hij schoolmeester of boswachter worden. Hij wandelt iedere dag in het bos en werd schoolmeester. Het bleek trouwens een besmettelijk beroep te zijn, want zijn zoons, Roel en Ernst en zijn vrouw Kitty geven ook les. Hij houdt van schrijven en las vroeger zijn zelf verzonnen verhalen voor aan het beste publiek: zijn dochter Anouk. Het winnen van de wedstrijd scenarioschrijven voor het Nederlands Filmfestival deed hem besluiten een verhaal naar een uitgever te sturen. Zo ontstond zijn eerste boek: 'Vingervlug'.

Over het boek *Vingervlug* zegt de schrijver:

Alle kinderen hebben recht op een fijn thuis. Een vader en een moeder die voor je zorgen. Soms gaan ouders uit elkaar. Dat is heel verdrietig. Zeker als een van de ouders, of soms allebei, niet meer voor je kunnen of willen zorgen.
Michael heeft een lieve moeder, maar beseft al vroeg het onrecht dat hun is aangedaan. Hij probeert iets aan de situatie te verbeteren. Maar natuurlijk is zakkenrollen geen juiste oplossing om geld te verdienen. Gelukkig beseft Michael dat niet iedereen je in de steek laat. Er zijn altijd mensen waar je op kunt rekenen en die van je houden.

Om over na te denken ...

Je hebt het boek nu gelezen. Hieronder staan nog een paar vragen waar je over na kunt denken. Je kunt de antwoorden ook opschrijven. Dat is vooral handig als je een boekbespreking wilt maken.

Vind je de reden waarom Michael gaat zakkenrollen een goede reden? Begrijp je hem?

Kun je een andere oplossing voor Michaels probleem bedenken?

Als Michael na zijn ontvoering thuiskomt, vertelt hij er niets over aan zijn moeder. Waarom niet, denk je?

Waarom denk je dat Michael zo uitgebreid over de bloedzuigers in de sloot praat? Denkt hij daarbij eigenlijk aan iets of iemand anders?

Waarom denk je dat Michael toch ineens alles aan zijn vriend Younous vertelt?

Als Michael de cd-rom van de minister heeft gestolen, zegt hij dat ze nu plan B gaan uitvoeren. Wat is plan B?

Vind je dat Michael gestraft had moeten worden voor het zakkenrollen?

Nog wat tips voor een boekbespreking
(Of een klassengesprek)

Als je een boekbespreking wilt houden, vertel dan eerst hoe dit boek heet, wie het heeft geschreven en wie de tekeningen maakte. Daarna vertel je waar het boek over gaat (in dit geval over een jongen die zakkenrolt omdat hij zijn moeder wil helpen) en wie de hoofdpersonen zijn. Vertel er ook bij waarom de hoofdpersonen doen wat ze doen (bijvoorbeeld waarom Michael alleen steelt van mannen met een BMW). De vragen op de vorige bladzijde kunnen je hier goed bij helpen.

Lees een stukje voor dat jij erg spannend vindt of dat precies laat zien wat voor boek dit is. Vertel daarna wat je zelf van het boek vindt (bijvoorbeeld spannend, leuk, saai, moeilijk) en vertel er ook goed bij waarom je dat vindt.

Als meer kinderen dit boek gelezen hebben, kun je bijvoorbeeld ook een klassengesprek over criminaliteit houden:

Wat is criminaliteit? Kun je naast zakkenrollen nog meer voorbeelden noemen?

Is er wel eens iets van jou gestolen, of van iemand die je kent? Hoe vond je dat?

Is iemand die steelt altijd slecht? Of kun je je voorstellen dat er omstandigheden zijn waarom je gaat stelen?

Vind je het erger als er van een arm iemand gestolen wordt dan van een rijk iemand? Of vind je dat even erg?

SLOTERVAART

Pieter Callandlaan 87 b 1065 KK Amsterdam
Tel. 615 05 14
slvovv@oba.nl